la DIÈTE coupe-tentations

Un programme de 12 semaines pour que vos mauvaises habitudes cessent, tout en changeant votre mode de vie pour toujours !

JULIA HAVEY

Avec un avant-propos par Dr. David L. Katz

Mind Publishing

Deuxième édition, Mind Publishing : septembre 2010.

Première édition, St. Martin's Griffin : août 2007.

Édition du livre électronique : révisé en novembre 2009.

Deuxième édition du livre électronique : révisé en septembre 2010.

Contact pour obtenir des informations :

Mind Publishing Inc.

PO Box 57559

1031 avenue Brunette

Coquitlam, C.-B., V3K 1E0

www.mindpublishing.com

info@mindpublishing.com

ISBN 978-0-9782797-9-0

Imprimé au Canada

Graphique de la couverture : FWH Creative

Dédicacé à Valérie,

« qui a accepté la méthode coupe-tentations

et a perdu 185 livres sans les reprendre !

En observant comment la diète coupe-tentations

a eu un impact positif sur sa vie et sur celles de milliers

d'autres, cela me donne des ailes à aller de l'avant ! »

Table des matières

Remerciements

Il y a beaucoup de gens à remercier qui m'ont aidé à constituer ce livre, que ce soit directement ou indirectement. Que ce soit les membres de ma famille qui se sont montrés présent, ou les lecteurs dont l'affluence continue à m'inspirer, tout le monde a fourni une contribution. Il est important de reconnaître tous ceux qui ont soutenu cet effort.

La maison d'édition *Mind Publishing* qui a publié la version révisée de *La diète coupe-tentations* a su croire en moi et en mon message. J'ai beaucoup apprécié le temps passé avec l'équipe de création et la souplesse qu'ils ont pu m'accorder.

Il est également important que je remercie mon agent, Linda Konner. Si vous voulez que votre livre soit publié, vous avez vraiment besoin d'un agent. J'ai eu la chance de trouver Linda. Je remercie Linda pour avoir cru en moi dès le premier jour. Les remerciements du public et la reconnaissance pour un travail bien fait sont sans doute la meilleure façon d'être « payé ». Je vous remercie Linda.

Je voudrais également remercier le Dr. David Katz, qui a fourni les avant-propos. Nous nous sommes rencontrés au Sommet sur l'obésité en juin 2004, organisé par la chaine ABC et le magazine Time. Je suis reconnaissante pour ses connaissances, ses conseils et pour m'avoir accepté en tant que collègue. Ses connaissances et son expérience clinique m'ont aidé à grandir. Dr. Katz, merci pour m'avoir accordé votre temps et votre énergie pour soutenir mes efforts.

Je dois remercier mon patron, John McGran, rédacteur en chef de Diet.com et « Monsieur mauvais mangeur » lui-même ! Il y a sept ans, John partageait mon histoire avec ses lecteurs et a lancé ma carrière comme maîtresse de la motivation. Il m'a attribué ce nom et par conséquent la responsabilité de le maintenir au long terme. Je vous dois plus de « Merci » que je ne pourrais vous donner en une vie. Je vous adore !

Il y a quelques personnes dans mon entourage à remercier. D'abord, je tiens à remercier Valérie, à qui j'ai dédié ce livre pour le temps qu'elle m'a accordé et pour son enthousiasme. Je tiens également à remercier Brandon, qui est entré récemment dans la vie de notre famille et s'est avéré être une véritable bénédiction. Il a été d'une grande aide au niveau de la recherche associé à ce livre.

Quant à vous, mes enfants, Taylor et Clark, vous avez su vous débrouiller sans moi dans les moments où j'étais occupé à aider les autres. Ce n'est pas facile d'avoir manqué ces moments, mais vous avez tous deux appris une grande leçon, celle d'avoir un but (d'aider les autres) et cela est très important dans la vie. J'espère avoir compensé nos moments manqués en vous montrant le bon exemple. J'espère que cela vous servira lorsque vous serez adulte. Je vous aime et je suis très heureuse d'être votre mère, vous êtes des personnes extraordinaires.

Pour mon père pour qui un voyage se termine et un autre commence. Tu continue de me surprendre, me faire rire, et surtout, me donner l'impression d'être aimé. Je prie pour que toi et Denise profitiez de votre retraite en bonne santé et avec humour. Je ne peux pas imaginer un jour sans vous. Denise, merci pour le maternage, j'en ai plus besoin que tu ne le penses et vous aime plus que vous ne le pensiez pour m'accepter telle que je suis.

Et à tous les membres de ma famille élargie et les amis, un grand merci pour votre indulgence quant à mon excentricité. Vous êtes tous d'une si grande influence. Je suis extrêmement chanceuse que vous fassiez partis de ma vie.

Je remercie mes lecteurs, pour m'avoir donné (et par là vous être donné) la possibilité d'essayer ce projet diététique une fois de plus. Vous êtes finalement celui qui doit le faire et je pense que vous réussirez. Profitez du cheminement et merci encore d'avoir pris l'initiative de choisir ce livre. S'il vous plaît, visitez **www.pgx.com** pour obtenir mon programme audio de 26 semaines de *La diète coupe-tentations*. Je suis persuadée que vous allez l'adorer et qu'il vous aidera dans votre parcours.

Carpe Diète,

Julia

Avant-propos

Si vous pouviez formuler les conseils de perte de poids idéal, vos priorités seraient probablement la fiabilité, la fonctionnalité, la simplicité. Vous souhaiteriez des conseils logiques et intuitifs qui s'adaptent à votre mode de vie et puissent accommoder votre famille. Si vous pouviez choisir votre conseiller, vous préféreriez sans doute mettre l'accent sur la compassion, la perspicacité, l'intelligence et l'expérience.

En d'autres termes, si vous pouviez concevoir l'offre idéale sur le conseil de la perte de poids, vous vous retrouveriez avec quelque chose de pertinent tel que *La diète coupe-tentations*. Et si vous pouviez sélectionner et choisir parmi les candidats pour le poste de conseiller-minceur idéal, vous choisiriez de façon presque certaine quelqu'un comme Julia Havey.

Vous êtes chanceux, inutile de formuler des conseils ou de choisir un conseiller. Il n'y a personne telle que Julia Havey que Julia elle-même ; de sorte que le choix d'un conseiller devient clair. Dans *La diète coupe-tentations*, Julia vous présente des conseils diététiques qui répondront à toutes vos caractéristiques et dépasseront toutes vos attentes. Julia est en un mot sensationnelle et vous la retrouvez au meilleure de soi-même.

Les conseils donnés par Julia sont éminemment pratiques, tout à fait réalisables et magnifiquement stimulants. Ils sont en outre éprouvés, puisqu'ils constituent la base du succès remarquable de la perte de poids de Julia. Jouissant d'une bonne santé, passionnée et pesant 130 livres plus légère que son poids précédant, Julia nous parle de la perte de poids – et de la gestion de poids durable – non pas comme un acte hypothétique, mais plutôt comme un parcours qu'elle connaît intimement. En marchant sur les traces de Julia, vous ne risquez pas de vous perdre en route, parce que Julia a déjà elle-même suivi ce chemin pas à pas !

Comme tout guide bien informé et expérimenté, Julia est claire, confiante, et ferme dans ses conseils. Mais ne vous faites pas de mauvaises idées : elle est aimable, douce, et compréhensive. Il n'y a aucun jugement dur, aucune récrimination dans ces pages. Quand Julia parle des « vices » et de ce besoin de « répression », elle se réfère à votre régime et non à votre caractère.

Dans ce livre, ce sont les vices diététiques qui sont réprimandés. Vous obtenez en quelque sorte une protection. La méthode de répression des vices est en quelque sorte une autodéfense contre les filous obésogènes de ce monde moderne (de la restauration rapide à la télévision). Julia est présente avec douceur et fermeté pour vous aider à vous débarrasser de ces vices.

En soulevant le problème des vices diététiques, Julia met en avant tous les points négatifs de votre alimentation pour que vous puissiez enfin trouver les points positifs dans votre vie. Concentrez-vous sur ce qui ne vas pas dans votre façon de manger (et seulement ce qui ne va pas) et vous finirez par adopter une façon de manger saine et durable. Cette approche vient s'opposer aux diètes qui disent reconstruire votre façon de manger en se basant sur des exclusions non durables, passant de la soupe aux noix, aux théories insensées, et/ou aux plans imposant des compositions alimentaires compliquées.

Julia identifie les principaux facteurs qui ont contribue à répandre cette épidémie d'obésité et vous donnent des difficultés à contrôler votre poids. Elle fait l'inventaire de tous les « vices diététiques » présents dans notre culture. Ayant donné des consultations depuis prés de vingt ans, je trouve ses propos véridiques. Parmi mes patients, les habitudes qu'elle décrit s'avèrent souvent une cause, ou la cause d'une prise de poids et d'une rechute après une diète. Julia l'a compris.

Elle nous donne aussi bien qu'elle reçoit. Ce que j'aime en tout premier chez elle, c'est l'accent qu'elle met sur la santé. J'aime le fait qu'elle se concentre sur des étapes simples et non intimidantes. J'apprécie aussi sa façon d'inclure et de considérer la famille et le mental comme des éléments faisant partis intégrante du bien-être physique. J'aime vraiment « *La diète coupe-tentations* » !

Tirée de sa propre expérience, Julia partage des conseils sages et convaincants. Elle note, par exemple que :

La privation n'est pas de vivre sans certains aliments, mais de vivre avec ces derniers et d'être ainsi privé d'une bonne santé et du bonheur qui va avec !

Cette phrase est l'illustration même de la sagesse, le fait de découvrir des choses évidentes que la plupart d'entre nous ne voient pas. Cette phrase et ses propos peuvent paraître évident mais seulement après que Julia nous l'ai dit.

J'adore les commentaires de Julia sur la façon de se débarrasser de ses habitudes liées à la consommation de repas-rapide :

Avant que je ne m'en rende compte, j'ai commencé à regarder aux autres choses que je faisais en me demandant quel résultat je pouvais obtenir en faisant un changement positif de plus. Puis je me suis attaquée à un autre de mes vices : la fréquentation régulière des restaurants rapides. Je me suis rendue compte que j'optais trop souvent pour la restauration rapide. Je me suis convaincue qu'il y avait beaucoup de produits gras qui devaient disparaître de mon alimentation. Même si je n'ai jamais voulu cuisiner pour les enfants, j'ai commencé à aimer les frites aussi ! Dorénavant, je me devais de cuisiner et ce n'était pas aussi cher ou aussi long que je l'avais cru. Plutôt que les enfants ne mangent dans la voiture et moi à la dérobée, nous nous sommes assis et avons mangé ensemble. Les bienfaits de cette action peuvent occuper l'espace d'un chapitre dans un livre sur la façon d'élever les enfants.

J'ai cinq enfants et je souhaiterai souligner l'importance de penser *famille* lorsque l'on pense à une *diète*. Améliorer vos relations avec vos enfants est comme un profit résiduel liés à la perte de poids, c'est en quelque sorte un avantage en nature !

Les conseils de Julia sont simples et conviviaux. À chaque étape, elle met l'accent sur les choses positives telles que la santé ou la famille. Ses étapes sont simples. Pas besoin de réinventer votre régime, il suffit d'identifier, d'appliquer et de se débarrasser de ce qui ne va pas.

La diète coupe-tentations remplace l'idée saugrenue selon laquelle on peut « immédiatement atteindre le poids idéal ». Cette diète met en place des actions simples que vous pourrez vraiment tenir et des résultats que vous pourrez vraiment contrôler. Suivez les pas de Julia. Elle connaît la voie. Suivez ses conseils chaleureux et éclairés et la possibilité de contrôle qu'elle suggère. Faites ainsi et votre perte de poids suivra !

Dr. David L. Katz, M.P.H., F.A.C.P.M., F.A.C.P., directeur du Centre de Recherche des Préventions de Yale ; collaborateur médical, ABC News et O, *The Oprah Magazine* ; auteur de *The Flavor Point Diet*.

Préface

Je vous remercie Dieu pour nous avoir donné Julia Havey. À une époque où presque les deux tiers des Américains souffrent de surpoids ou d'obésité et que le reste du monde se dirige également sur cette tendance, nous avons plus que besoin d'un modèle de vie équilibré. Bien qu'un professionnel ayant la peau sur les os ou un nutritionniste maigrichon puisse parler sur la perte de poids, ici, c'est une personne bien portante comme Julia qui a elle-même vécu le parcours minceur qui vous conseillera.

Ma première rencontre avec Julia date de l'année 2000. Elle était une ancienne reine de beauté aux yeux brillants avec un message simple : « J'étais malheureuse. J'ai pris beaucoup de poids. Si j'ai trouvé un moyen de transformer ma vie c'est que vous le pouvez aussi ! »

J'ai probablement engagé Julia plus pour sa personnalité époustouflante que pour ses compétences en écriture. Mais six ans plus tard et après plus de 200 colonnes, Julia fait partie intégrante de la famille d'experts de Diet.com, tous étant dévoués à aider les personnes les plus désespérées à atteindre un mode de vie plus sain.

Il est facile de perdre du poids. Zut, j'ai dû le faire une douzaine de fois ou plus. Le plus dur est de ne pas regagner le poids que vous perdez. Je n'ai toujours pas maîtrisé cette partie pour le moment. Il est donc rassurant d'avoir une relation intime avec une femme qui est passée par là et a réussi de « perdre du poids et à le maintenir ».

Des millions d'abonnés de Diet.com ont accès aux messages de Julia. Dans les nombreuses lettres que je reçois, il est clair que Julia a attiré un grand nombre d'hommes et de femmes soucieux de pouvoir jouir de leurs vies. Oubliez toutes ces absurdités au sujet des personnes grosses et joyeuses. Ce n'est pas facile de trouver le bonheur quand vos vêtements sont toujours trop serrés, que votre santé est en pagaille, et que vous avez du mal à caler votre large postérieur dans un siège d'avion ou de cinéma. Julia connaît cette peine et cette frustration. Non seulement elle ne l'oubliera jamais, mais surtout, elle ne réitérera plus le comportement alimentaire hors de contrôle qui l'a conduite à un surpoids accablant.

Les jours heureux sont de retour pour Julia. Vous pouvez l'entendre dans sa voix. Vous pouvez le lire dans ses paroles. Après une rencontre avec Julia, on ne peut que repartir avec la volonté de se refaire une silhouette. Si vous avez grandement besoin de motivation, c'est que vous avez grandement besoin de Julia.

Donc, une fois de plus, je remercie Dieu pour nous avoir donné quelqu'un comme Julia Havey. Je crois que nous avons tous une mission dans la vie. La mission de Julia est de répandre dans le monde la rédemption et des fins heureuses en vous débarrassant des vices diététiques qui vous ont mené au surpoids, par une nutrition adéquate et de l'exercice.

Profitez du livre de Julia, puis commencez à profiter de votre vie.

John McGran, rédacteur en chef, Diet.com, et « *M. Mauvais aliments* ».

Introduction de l'auteure de la nouvelle édition

Depuis que j'ai publié « La diète coupe-tentations » il y a cinq ans, j'ai eu l'occasion de correspondre et de rencontrer beaucoup de gens qui ont aussi réussi à contrôler leurs poids sans faire appel à la diète traditionnelle. Ces inquisiteurs du vice m'ont inspiré par leurs dévouements et m'ont étonné par leurs résultats. À travers leurs histoires, ces hommes et ces femmes m'ont conforté dans l'idée que le meilleur programme d'alimentation est tout simplement de ne pas en avoir. Il faut se concentrer entièrement sur les vices diététiques qui nous font accumuler des livres et nous privent de notre santé et de notre vitalité. Leurs expériences m'ont laissé plus convaincue que jamais que la « diète coupe-tentations » est la meilleure arme que nous ayons contre les taux d'obésité toujours plus alarmants en Amérique et dans le monde entier.

J'ai été très heureuse et satisfaite de voir que des découvertes scientifiques accompagnent ces témoignages, valident la stratégie de *La diète coupe-tentations* et nous montrent les moyens d'améliorer son efficacité. Dans cette nouvelle édition, je suis contente de partager avec vous les dernières recherches et, surtout, une merveilleuse découverte appelée PGX^MD. C'est un produit à partir de fibres hydrosolubles qui devrait devenir votre meilleur allié en vous aidant à réaliser vos objectifs minceurs, à avoir de l'énergie et une vitalité en santé. Ayant travaillé au maintien d'une perte de poids de 130 livres depuis plus de 15 ans, il est certainement devenu mon accessoire préféré. Évidement, aucun produit ne remplace la connaissance ou bien même la volonté. Cependant, PGX^MD est l'intermédiaire qui vous permettra de mettre toutes les chances de votre coté dans la réalisation de votre diète coupe-tentations, si vous suivez bien les conseils de ce livre.

– Julia Havey [février 2010]

Introduction
Bienvenue !

Merci de m'avoir donné l'occasion de partager avec vous ce que je pense être le moyen le plus efficace et le plus logique pour perdre du poids et atteindre un niveau de forme physique qui améliore la santé globale. Si vous êtes comme moi, vous avez probablement dû acheter beaucoup de livres de diète dans le passé en y associant d'autres produits diététiques dans l'espoir de perdre du poids et de ne pas le regagner (seulement pour être déçu et finir frustré). Je peux dire en toute honnêteté que vous ne vous sentirez pas ainsi après avoir lu et suivi le programme de ce livre. Bien que vous ayez probablement déjà entendu cette promesse, si vous prenez le temps de parcourir ce livre et d'utiliser ce programme, vous constaterez, tout comme la plupart de mes clients m'ont dit, qu'il est « agréablement simple ». Avant que nous ne commencions, jetons un coup d'œil à l'état de santé dans lequel vous vous trouvez à présent.

État de santé

Votre *état de santé*, ou ce qui est souvent désigné par *santé globale* ou *niveau de santé et de forme physique*, sont des termes généraux qui englobent la notion d'excès de poids. Vous ne pensez peut-être pas avoir les *symptômes* d'une mauvaise santé mettant en cause votre surpoids. Néanmoins, laissez-moi vous assurer qu'avoir le désir de perdre du poids est un symptôme suffisant. Si vous ne vous êtes pas encore rendu compte, vous devriez savoir que dans la plupart des problèmes de santé, les symptômes sont les derniers à se manifester. Vous ne développez pas les symptômes puis la grippe ; vous avez la grippe puis seulement après, les symptômes apparaissent. On peut en dire de même pour le cancer – il prend habituellement des années avant que les symptômes ne se révèlent, date à laquelle l'examen, l'essai, et le diagnostic peuvent être faits. Ce processus n'est pas vrai pour le surpoids. Lorsque l'on souffre de surpoids, les signes apparaissent graduellement et de façon continue. Quand j'emploie un terme très général comme *santé globale affaiblie*, je pourrais me référer à un état de *surpoids* qui pourrait éventuellement compromettre votre santé mentale, physique, sociale, et/ou spirituelle. Au lieu de constamment se référer à un problème de poids ou à une question de poids, nous porterons un regard global. Ce voyage ne concerne pas seulement la perte de poids, il VOUS concerne !

Quelques raisons typiques qui pourront vous encourager à perdre du poids :

- Pour avoir plus d'énergie
- Pour être plus séduisant
- Pour redevenir sexy
- Pour penser plus clairement
- Pour trouver un conjoint
- Pour porter les vêtements mignons
- Pour vivre plus longtemps
- Pour atteindre plus de buts
- Pour se sentir plus confiant
- Pour être la personne que vous savez que vous pouvez être

Je sais comment vous vous sentez

Il y a plus de dix ans, j'étais maladivement obèse. Ce n'est pas une chose facile à oublier. Je pesais 290 livres. J'étais peinée par ce poids et les tentatives infinies infructueuses pour le perdre. J'ai essayé diète sur diète, acheté médicament sur médicament, pourtant rien n'a semblé marcher. Il se peut que ces pilules diététiques aient effectivement été plus efficaces si je ne les avais pas avalés avec une boisson gazeuse de 16 onces. Peut-être même que la diète Scarsdale aurait pu fonctionner si je n'avais pas mangé un pot de crème glacée par nuit en guise de récompense pour avoir tenu toute la journée. En fin de compte, les plans de repas et les directives rigoureuses se sont avérés pour moi trop dure à tenir dans la durée ou pour remporter quelques succès que ce soit. J'accumulais les livres tout simplement. Lorsque j'ai réalisé ce qui était entrain de m'arriver, j'avais trente ans et pesais alors 290 livres. Ma vie m'échappait. J'étais malheureuse, en surpoids et franchement pitoyable. Les choses devaient tout simplement changer et heureusement elles ont changé.

J'ai perdu 130 livres

Cela s'est passé au moment ou j'ai découvert que mon mari avait une aventure galante. Je suis alors partie chercher refuge chez mes parents. Pendant que mon père me consolait avec un massage d'épaule, il a senti une bosse à la base de mon cou. Convaincu que c'était un cancer et que j'allais mourir prématurément et de manière pitoyable, je suis allée chez mon docteur. C'est à ce moment précis que j'ai reçu la mauvaise nouvelle.

À ma surprise (et autant dire mon humiliation), le diagnostic de ma masse cancéreuse située à la base de mon cou était... bien, était juste une simple bosse. Autrement dit, c'était une masse de *graisse*, un dépôt de gras.

En rentrant à la maison, après s'être arrêtée à la boulangerie et avoir acheté quelques pâtisseries pour apaiser l'effet de ce diagnostic, je me suis vraiment regardée à faire cette chose (c'est-à-dire manger). Cette même chose qui me causait ce dépôt de gras et qui ruinait ma vie. Je me rappelle avoir pensé que tout ceci devait vraiment s'arrêter. Une diète ! Voilà ce dont j'avais besoin. Alors que je finissais de manger ces pâtisseries, je me jurais dès le lendemain matin de commencer une nouvelle diète. Cette fois-ci, j'ai essayé des mélanges veloutés verts. Cette tentative a duré deux jours. Oh, et puis j'ai pensé que la diète suivante serait la réponse. De toute manière, j'étais bien trop bouleversée par l'effondrement de mon mariage pour penser à une diète.

Puis une goutte à fait déborder le vase. Une nuit, à la suite d'une dispute avec mon mari, je suis sortie rapidement de la maison pour m'échapper et aller manger quelque chose. Je suis allée à la station-service la plus proche pour acheter une friandise. Là, je rencontrais l'homme qui changerait ma vie. Après être sortie de ma voiture, je tirais sur mon chandail pour couvrir mon derrière et ainsi cacher ma graisse aux autres (ou du moins je le pensais). Alors que je marchais vers la fenêtre du vendeur pour obtenir ma dose, un homme avachie sur la façade du bâtiment, portant des vêtements sales et encrassés, et buvant quelque chose dans un papier d'emballage déchiré a dit haut et fort, « toi là, tu t'es trop bâfrer de nourriture ! » Il m'a semblé le répéter de plus en plus fort. J'étais bien plus qu'humiliée. Tous, y compris le vendeur derrière la vitre pare-balles se moquaient de moi et de ma graisse. J'ai pris ma friandise et me suis réfugiée rapidement dans le calme de ma voiture.

Trop c'est trop. Trop de nourriture en moi ! Je lui montrerais, pensais-je en conduisant à toute allure. J'ai rapidement fini ma friandise pour me consoler. Étrangement, je n'ai pas trouvé le confort habituel cette nuit là, ni dans le chocolat, ni dans la crème glacée que j'ai mangé quand je suis rentrée à la maison et encore moins quand je me suis regardée longuement dans le miroir.

J'ai réalisé quel était vraiment le problème. Ce n'était pas la faute de mon mari si j'étais devenue grosse, ni même celle de mes parents ou des taquineries. Ce n'était pas la faute des autres, mais plutôt celle de chaque bouchée de nourriture en trop qui était entrée ma bouche et qui n'avait pas sa place là.

Trop de nourriture a eu trop de conséquences !

J'ai juré de changer. Je n'ai pas juré de suivre une diète. C'est la première fois où je peux me rappeler m'être rendue compte que je devais prendre le dessus. À ce moment, j'ai constaté toute la mauvaise nourriture présente dans mon mode de vie et qui contribuait le plus à mon surpoids. Une chose est sûre, j'étais « trop imbibée » de crème glacée. En janvier 1994, je me suis dit qu'il fallait arrêter et depuis je n'ai pas pris une cuillerée. Vous pouvez penser que j'ai été privée de crème glacée pendant tout ce temps mais…

La privation n'est pas de vivre sans certains aliments, mais de vivre avec ces derniers et d'être ainsi privé d'une bonne santé et du bonheur qui va avec !

Honnêtement je ne me rendais pas compte, lorsque j'ai pris cette décision, que la crème glacée ne ferait plus jamais partie de ma vie. J'ai simplement décidé de ne pas en manger pendant un certain temps afin de perdre du poids. Cela n'a pas été si difficile.

Si les premiers jours, j'ai pu en avoir envie, j'ai su combattre ce désir. Après un mois, mes vêtements sont devenus moins serrés et pourtant je n'avais rien fait d'autre qu'arrêter de manger de la crème glacée. J'ai réalisé que de ne pas en manger pouvait m'aider finalement à perdre du poids. J'étais excitée par ces changements et cette excitation m'a conforté dans la volonté de ne plus manger de crème glacée. C'en est devenu un jeu. J'ai voulu savoir à quel point mes vêtements deviendraient trop grands si je continuais à éviter la crème glacée.

L'avantage positif c'était qu'un simple changement créait un cercle vertueux, celui de la motivation !

Avant que je ne m'en rende compte, j'ai commencé à regarder aux autres choses que je faisais en me demandant quel résultat je pouvais obtenir en faisant un changement positif de plus. Puis je me suis attaquée à un autre de mes vices : la fréquentation régulière des restaurants rapides. Je me suis rendue compte que j'optais trop souvent pour la restauration rapide et je me suis convaincue qu'il y avait beaucoup de produits gras qui devaient disparaître de mon alimentation. Même si je n'ai jamais voulu cuisiner pour les enfants, j'ai commencé à aimer les frites aussi ! Dorénavant, je me devais de cuisiner et ce n'était pas aussi cher ou aussi long que je l'avais cru. Plutôt que les enfants ne mangent dans la voiture et moi à la dérobée, nous nous sommes assis et avons mangé ensemble.

Au cours des mois suivants, d'autres vices ont cessés, pour en nommer deux, les gâteaux aux pépites de chocolat et les glaçages gelés. Même la plâtrée de pâtes au fromage a eu besoin d'un peu de changement. J'ai commencé à devenir plus consciente des mauvais aliments que je consommais et quelles étaient les meilleures options nutritionnelles qui s'offraient à moi. J'ai commencé à lire les étiquettes des produits alimentaires ou à en demander le contenu avant de faire un choix. Sur ce parcours, la prise de conscience est notre meilleure défense. En méconnaissant le mal fait à votre corps et en continuant à avoir des pratiques alimentaires malsaines, vous allez sans doute compromettre tous vos efforts minceurs.

À un certain stade, après avoir chassé quelques vices et avoir perdu entre quinze et vingt livres, j'ai commencé à faire du sport.

Je me suis mise à participer à un cours ou deux d'aérobique et même une fois de temps en temps, j'ai essayé un peu les machines de musculation, mais j'ai été trop intimidée pour en faire davantage. Après avoir perdu environ cinquante livres, alors que je me sentais plus à l'aise dans mon corps et gagnais en confiance, je me suis mise à faire du sport plus souvent. J'allais au cours de step plus couramment et faisait aussi de la musculation. J'ai commencé à marcher autour du parc avec mes enfants et à jouer avec eux dans la cour de récréation, plutôt que de rester assise et de les observer s'amuser en mangeant quelque chose. Rétrospectivement, beaucoup de mes heures à regarder la télévision en soirée ont été remplacé par de l'exercice physique.

Les résultats de mon changement de mode de vie n'étaient pas seulement visibles sur la balance. Mes vêtements devenaient trop larges et devaient ainsi être ajustés chaque semaine. Mon attitude devenait plus positive. Alors qu'auparavant, tout le monde m'irritait, soudainement, tout autour de moi m'a semblé s'être amélioré. Ma confiance montait en flèche. Je ne me suis plus considérée comme une perdante et j'ai commencé à penser que j'étais une personne bonne dotée de nombreuses qualités. Le temps passé avec mes enfants est devenu plus agréable. Nous avons joué et avons ri plutôt que de manger et regarder la télévision. Mon niveau de productivité au travail était au top et j'étais fier de ce que j'accomplissais.

Dans le passé, je me suis souvent engagée dans une diète pour faire marche arrière peu de temps après. Une fois l'inspiration de retour, je redémarrais une nouvelle diète répétant sans cesse le même cercle. L'intervalle de temps entre chaque diète était vraiment du gâchis. Vous savez, le fait de vouloir *attendre* le lundi pour commencer. La plus grande différence cette fois fut ma volonté, ce désir de rester chaque jour dans la course. Je n'ai jamais fait demi tour vers la crème glacée ni même vers les autres habitudes alimentaires que j'avais considéré (et qui s'est confirmé plus tard) comme la cause de ces livres supplémentaires. La pratique du sport me faisait sentir si bien que je n'ai pas abandonné non plus. Même si c'était seulement un jour par semaine, j'y suis allée. Finalement, j'ai arrêté de consommer des boissons gazeuses sucrées.

Comme vous pouvez le constater, je n'ai pas fait ce type de diète qui exige de suivre un programme alimentaire précis et faire de l'exercice de façon régulière. J'ai simplement regardé ma vie et j'ai décidé de changer une par une, les mauvaises habitudes. Je n'ai rien fait de trop radical et ne me suis pas engagée dans quelque chose que je ne pourrais pas ternir le restant de ma vie. J'ai renoncé à croire au conte de fées, celui qui dit que perdre du poids résoudrait tous mes problèmes et me donnerai tous ce que j'ai toujours souhaité. Au lieu de cela, je me suis concentrée sur chaque étape, celle que je pouvais accomplir au jour le jour, parce que le présent est tout ce que nous avons.

J'ai surmonté la difficulté d'être en surpoids pendant des années, prenant et perdant du poids, seulement pour faire le yoyo et finalement peser 290 livres. Ce n'était pas sain. ***Je*** n'étais pas en bonne santé. Depuis que j'ai perdu du poids, j'ai vraiment trouvé ce que je voulais faire dans la vie : aider les autres à perdre du poids et à retrouver la santé. En 2008, j'ai gagné un allié dans mes efforts quand j'ai pris connaissance de PGX^MD, un supplément de fibre étonnant, aux avantages multiples. Depuis que j'ai perdu 130 livres, de nombreuses sociétés m'ont contacté pour que je soutienne leurs produits et certaines me demandent même de dire que j'ai utilisé leurs produits pour perdre du poids, bien que je n'en aie jamais utilisé ! PGX^MD m'a été recommandé par un collègue. J'ai été vivement impressionné parce qu'il m'a permis de manger des portions plus petites tout en ayant l'impression d'être rassasié plus longtemps après les repas. J'ai remarqué par la suite que je n'avais plus autant l'envie de m'emparer de certains aliments. J'ai appris que c'était parce que PGX^MD équilibre les taux de glycémie qui sont souvent derrière nos fringales malsaines. Enfin un non-stimulant, un inhalateur d'appétit qui fournit un soutien naturel à une approche sans diète comme *La diète coupe-tentations* ! Mes applaudissements à l'équipe scientifique qui a découvert et développé ce remarquable supplément ! Tout comme moi, le but de ces chercheurs est d'apporter une nouvelle énergie et vitalité aux personnes qui sont prêtes à faire des changements et des modifications cohérentes dans leurs modes de vie pour une santé plus saine.

Faire les choses simplement

J'essaie de rester fidèle à une approche simple que ce soit dans ma vie, dans ce livre ou dans le plan diététique fournit. L'approche fondamentale est de *faire les choses simplement*. Dans ce livre, vous trouverez beaucoup d'informations, quelques nouvelles idées et même une approche différente pour perdre du poids, mais j'ai surtout essayé de garder son contenu simple. Je pense qu'aujourd'hui, certains facteurs comme l'invention de diètes trop compliquées, la désorganisation et l'accumulation d'événements dans nos vies contribuent au problème qu'est l'obésité, cela au détriment de notre santé. Cette complexité nous mène à vouloir rechercher une solution facile, comme penser que la réponse au problème se trouve dans une pilule diététique. Une telle pilule ou tout autre produit du même genre ne se souciera pas des raisons qui font que vous êtes incapable de perdre du poids. Je pense avoir la réponse. Je garantie que vous trouverez cette approche facile à suivre et que vous obtiendrez des résultats. Alors commençons !

chapitre 1

Comment les **vices diététiques** ont changé le poids de l'Amérique

Avant de commencer, je pense que nous devons prendre le temps de regarder ce qui nous a mené à faire régulièrement ces trucs considérées comme de mauvaises habitudes. Vous pouvez connaître quelqu'un qui fume et l'interpréter comme son vice. Ou bien même, quelqu'un qui est gourmant ? Par exemple, vous voyez que quelqu'un mange des biscuits aux pépites de chocolat et cette personne vous dit, un peu en s'excusant, « Chacun sont péché, celui-ci c'est le mien. »

En combinant ce petit plaisir avec la diète, nous obtenons une définition claire de ce qu'est un vice diététique : **n'importe quelle action habituelle qui vous empêche d'atteindre et de maintenir un poids sain**. Par exemple, si vous mangez une douzaine de biscuits aux pépites de chocolat chaque jour à midi, vous pouvez être certain que les biscuits sont votre vice diététique. Si vous buvez un gallon de boisson gazeuse régulière chaque jour, c'est forcément un vice diététique. Si vous vous asseyez sur le canapé et vous collez à la télévision pendant quatre heures par jour, c'est alors un vice diététique. Si vous mangez des Big Macs tous les jours, ils sont alors vos vices diététiques. Si vos portions sont trop grandes, ceci pourrait aussi être considéré comme un vice diététique.

Après avoir passé des années à aider les autres à mincir, j'en suis venue à la conclusion que la réponse au problème d'obésité en Amérique du Nord se trouve en chacun d'entre nous. Il nous faut au préalable surmonter nos vices diététiques individuels. Cela peut sembler trop simplifié. Pourtant, j'ai la ferme conviction que la présence de vices diététiques est un obstacle majeure au processus minceur. Ce n'est pas que nous n'ayons pas eu la bonne méthode d'alimentation ni les bonnes combinaisons alimentaires ou suivit le système de « point » approprié. Je ne crois pas que nous manquons d'intelligence et ne pouvons pas distinguer les bons des mauvais aliments. Je suis convaincue que nous avons été conditionnés pour croire que la diète est une chose compliquée et que nous devons suivre un régime complexe pour perdre du poids.

Je pense que ce qui m'est arrivé, arrive en ce moment même au pays tout entier. Nous suivons un régime alimentaire qui nous met dans un état d'obésité. Si vous y pensez, vous avez probablement essayé de mettre en œuvre des changements radicaux dans le but de suivre les recommandations d'un expert en nutrition. Si vous êtes dans l'état dans lequel j'ai pu me trouver, vous ne pourriez pas vous y tenir et feriez demi tour (face première) en remangeant comme auparavant. Cela résume comment à peu près chacun d'entre nous a suivi puis abandonné régime sur régime pendant des années.

Soyons honnête. Je pense que vous seriez d'accord sur le fait qu'il y a beaucoup de produits alimentaires malsains. En fait, je suis prête à parier que non seulement vous connaissez les produits alimentaires qui ne sont pas bons pour vous, mais aussi combien vous en mangez ! Vous voyez, je crois que nous n'avons pas besoin d'un expert pour nous dire comment suivre un régime. Je suis également convaincue que je connais certaines choses sur le mode de vie approprié pour atteindre un poids sain. Identifier les vices diététiques dans votre vie constitue la première étape qu'il vous faut connaître pour gagner le contrôle de votre poids et de votre vie.

J'ai identifié les trois premiers vices diététiques qui se mettent en travers de la route du processus minceur de mes clients et qui ont mené aux problèmes de poids de beaucoup d'abonnés de eDiets.com avec qui j'ai travaillé. Si votre vice ne fait pas parti de ces trois premiers, ne vous inquiétez pas. Je vous aiderai à identifier votre vice individuel et vous montrerai le chemin pour que les mauvaises habitudes (ou le groupe d'habitudes) qui vous empêchent d'atteindre la perte de poids visée cessent enfin.

Les trois premiers vices

Les trois premiers vices diététiques majeurs qui contribuent le plus à l'obésité sont les boissons gazeuses sucrées, la restauration rapide et la télévision. Je constate encore et toujours qu'ils sont le dénominateur commun pour de nombreuses personnes dans leur lutte pour perdre du poids. J'ai aussi pu voir que des études viennent corroborer ce fait.

❶ Boissons gazeuses

Les boissons gazeuses et les boissons dites non « diète » sont de loin les produits clés qui contribuent de façon majeur à répandre l'épidémie de l'obésité. Dans le livre d'Eric Schlosser intitulé *Fast Food Nation* (New York : Houghton-Mifflin, 2001), ce dernier nous explique que « pendant les années 1950, la commande de boissons gazeuses typiques dans un restaurant rapide contenait environ huit onces de soda. » Mr. Schlosser continue à décrire la quantité de la taille typique d'une boisson gazeuse et nous indique qu'aujourd'hui : « une grande boisson gazeuse à McDonald contient 32 onces de soda. » Trente-deux onces, c'est quatre fois la taille de 8 onces. Et cette grande boisson gazeuse contient le montant colossal de 310 calories. Nous gagnons trop de calories en consommant des boissons gazeuses dans les restaurants rapides. La majorité de ces calories proviennent des sucres raffinés.

Sucre raffiné – un grand problème

Selon l'*American Journal of Clinical Nutrition* (1995), les boissons gazeuses « constituent la plus grande source de sucres raffinés dans le régime américain ». Beaucoup de personnes boivent tous les jours des boissons gazeuses. « L'USDA (le Département de l'Agriculture des États-Unis) recommande que la personne moyenne ayant un régime quotidien de 2,000 calories ne consomme *pas plus* de 40 grammes de sucres ajoutés, ce qui revient à la quantité de sucre contenu dans une boisson gazeuse de 12 onces. » L'ERS nous dit qu'au cours de l'année 2000, chaque Américain a consommé en moyenne 152 livres d'édulcorants caloriques. Vous pouvez lire ces édulcorants sur le côté de chaque bouteille ou sur la canette des boissons gazeuses et des jus de fruit.

Le *National Soft Drink Association* (NSDA) revendiquait en l'an 2000 que, « l'américain moyen a consommé plus de 53 gallons de boissons gazeuses ». Selon le NSDA, cela s'élève « par année à 60 milliards de dollars (dépensés) pour les boissons gazeuses ». Vous pouvez voir qu'environ la moitié des 152 livres d'édulcorants caloriques consommées par an provient des boissons gazeuses. Dans les années 1950, l'utilisation de sirop de maïs à forte teneur en fructose était pratiquement négligeable, tandis qu'au cours de l'année 2000, cela représentait presque 64 livres par personne (basé sur poids sec).

Les termes comme *saccharose, fructose, glucose, maltose* et *lactose* peuvent vouloir dire quelque chose à un scientifique, mais comment sommes-nous supposer comprendre ce que nous mettons dans nos bouches ?

Saccharose : Plus généralement connu sous sa forme blanche, raffinée, sucre de table, il provient de la canne à sucre, des betteraves et érables à sucre. C'est la forme de sucre la plus largement utilisée.

Fructose : Il se trouve naturellement dans les fruits et le miel. Il peut aussi provenir du maïs raffiné de manière industriel, des betteraves à sucre et de la canne à sucre. Actuellement, la forme la plus populaire de fructose raffiné provient du sirop de maïs, celui-ci étant ajouté à des centaines de produits. Il est environ 70 % plus sucré que le saccharose.

Bien que la nutrition profite à notre organisme, tous les sucres simples sont des calories vides, environ quatre par gramme. Quant à leurs impacts sur notre organisme, le saccharose est le pire des sucres. Il engendre la production d'insuline par notre pancréas et cause des fluctuations significatives au niveau de la quantité de sucre dans le sang (nous entraînant à nous balancer entre sensation d'énergie élevée et effondrement de fatigue en aussi peu de temps qu'une heure si nous n'avalons pas rapidement quelque chose). De plus, la consommation de saccharose oblige notre organisme à voler des substances nutritives stockées pour pouvoir les digérer.

Ces faits et chiffres sont destinés à vous ouvrir les yeux sur le fait que les boissons gazeuses prises seules contribuent assez à notre surpoids pour faire une grande différence !

Les effets négatifs relatifs à la consommation de boissons gazeuses vont au-delà du fait d'ingérer un grand nombre de « mauvaises » calories. Il y a une question physiologique relative à la réception et au traitement des boissons gazeuses par votre organisme. Selon l'*International Journal of Obesity* (juin 2000), « les calories provenant des liquides ne semblent pas compter de la même façon que celles provenant d'aliments solides avec les mêmes « mauvaises » calories comme les confiseries. » Autrement dit, les calories contenues dans les liquides sont plus mauvaises que celles contenues dans de la nourriture. Pour le même nombre de calorie, les calories malsaines ne sont pas traitées par votre organisme de la même manière.

Votre organisme digère les liquides beaucoup plus rapidement que les aliments solides. Une boisson gazeuse ou une boisson très calorique ne vous donneront pas la sensation de satiété que la nourriture peut vous donner. De plus, ces types de sucres déshydratent votre organisme.

L'habitude de la caféine

La caféine est un facteur supplémentaire contribuant et favorisant l'augmentation de la consommation de soda. Il est facile de prendre l'habitude de consommer une boisson caféinée tous les jours. C'est bon et cela peut vous donner plus d'énergie. Il y a quelques nouvelles intéressantes sur cette habitude : selon une étude financée par le *National Institute on Drug Abuse*, la caféine ne peut pas être détectée comme une saveur (malgré les réclamations). De plus, selon le Docteur Roland Griffiths (dans un communiqué de presse d'août 2000 de Hopkins Medicine), « la même chose est dite sur la caféine que ce qui est dit (ou a pu être dit) sur la nicotine. Ce sont des drogues provoquant une dépendance et des changements d'humeur. » Ceci s'ajoute au fait qu'il peut être très facile de devenir accro aux boissons gazeuses et nous faire comprendre pourquoi il y a eu une augmentation si accablante de leur consommation au cours des cinquante dernières années.

Donc, que ce soit la consommation de soda, de thé sucré ou de jus, la consommation accrue de sucre (et parfois de caféine) nous à mené à développer des habitudes dangereuses qui à leur tour ont mené aux surpoids de millions d'américains.

❷ Restauration rapide

La restauration rapide et les boissons gazeuses vont main dans la main. Ensemble, elles empêchent beaucoup d'entre nous d'atteindre un poids sain. Selon le *U.S. Foodservice Industry* (l'industrie du service alimentaire américain), de 1972 à 1995, le nombre de restaurants rapides a plus que doublé et il y en a environ un quart de million dans tout le pays. Cela n'inclut pas les petites cafétérias, les distributeurs automatiques, les stations-service, les magasins rapides, et ainsi de suite qui proposent des aliments gras à haute teneur en calorie. Pour que cette discussion soit cohérente, nous nous concentrerons seulement sur les restaurants rapides.

L'article le plus commun disponible dans un restaurant rapide est le bœuf et sa consommation a incroyablement augmenté au cours des cinquante dernières années. Dans les années 1950, nous avons consommé une moyenne annuelle de 53 livres de bœuf par personne, tandis qu'en l'an 2000, la moyenne annuelle s'élevait à 65 livres par personne et selon toutes les indications, ce nombre continue toujours à augmenter. Qu'est-ce qui est bon dans un hamburger ? Le fromage évidemment ! Notre consommation de fromage est montée en flèche au cours de la même période. Selon l'*Agricultural Fact Book*, « la consommation annuelle moyenne de fromage a augmenté de 287 % » depuis 1950. Ceci fait que la consommation annuelle de lait est passée de « 7,7 livres dans les années cinquante à une moyenne 29,8 livres en 2000. » C'est un facteur suffisant pour expliquer le surpoids de nombreuses personnes.

Que mangez-vous ?

Il est temps de faire toute la vérité sur un grand nombre de restaurants rapides. Ils distribuent des produits alimentaires malsains à forte teneur en calories et en gras qui ne sont pas compatibles avec votre régime.

Avec l'apparition de restaurants rapides, nous avons changé d'autres habitudes alimentaires. La consommation de lait et d'œufs s'est considérablement affaiblie depuis 1950 (*Agricultural Fact*

Book). Dans les années 1950, la consommation annuelle d'usage s'élevant à 37 gallons de lait par personne par an est dorénavant passée à environ 23 gallons par an (incluant lait entier et écrémé). Dans les années 1950, la consommation annuelle d'œufs était de 374 unités par personne. En 2000, ce nombre a chuté à environ 250 unités par personne. En résumé, nous consommons trois fois moins d'œufs qu'il y a cinquante ans. Nous mangeons également plus de viande maigre et buvons du lait plus pauvre en matières grasses (mais la consommation de lait complète reste inferieure). Ce que cela nous dit c'est que malgré le fait de manger de la viande plus maigre (surtout à la maison), de boire du lait pauvre en matières grasses et de consommer moins d'œufs, tous ces efforts ne change rien au fait que la montée des taux d'obésité ne cessent de grimper. Comment cela peut-il se faire ? Est-ce uniquement la faute aux restaurants rapides ? Ou peut être est-ce parce que nous faisons plus de choix malsains que sains ? La réalité est plus nuancée. Sans mentionner le fait que même si nous commandons quelque chose de sain, on nous apporte des portions énormes. La plupart des plats servis au restaurant peuvent nourrir plus d'une personne.

De nos jours, nous consommons la nourriture la plus mauvaise parce que nous avons la bière légère, les craquelins pauvres en matières grasses, les biscuits à faible teneur en féculent et des viandes maigres. Ces derniers semblent nous donner la permission de pouvoir en consommer plus. La densité de graisse contenue dans les aliments que nous mangeons à la maison a diminué d'environ 6 %, tandis que celle que nous mangeons loin de la maison a augmenté de presque 3 % (*Agricultural Fact Book*).

Trop de graisses et d'huiles **supplémentaires**

Une autre information sur la restauration rapide qui pourrait vous intéresser concerne la quantité d'huiles que nous consommons. Dans les années 1950, le total annuel des graisses et des huiles ajoutées ingérées étaient d'environ 45 livres par personne. En 2000, ce nombre était d'environ *75 livres par personne* par an. Veuillez noter que cela concerne uniquement les graisses et huiles supplémentaires *ajoutées*, et non pas celles contenues naturellement dans les aliments. En effet, la consommation de graisse animale et d'huile par personne a chuté de 28 % au cours des 25 années précédant l'année 2000 (*Université of Kentucky – College of Agriculture*), ce qui nous dit que nous ne devons pas notre gras à la graisse naturelle. Les graisses ajoutées (créées en laboratoire) sont des substances qui ont été testées pour pouvoir conserver nos aliments, éviter que les aliments ne collent à la casserole, ou nous aider à mieux cuisiner... et surtout, donner un goût *super, super bon* ! Vous connaissez les bons hamburgers, les frites grasses et l'offre des croquettes de poulet panées. Aucun de ces aliments n'est bon et tendre grâce à la graisse contenue naturellement dans le poulet ou le bœuf. Ils sont tout simplement bons car ils contiennent de la graisse ajoutée.

Certains additifs sont étudiés pour leurs propriétés de dépendance. Il est très probable que ces additifs alimentaires nous encouragent à consommer davantage et contribuent ainsi à notre problème de poids. Je me demande pourquoi ces additifs sont autorisés à être vendus, distribués, cuisinés et consommés.

J'ai vu récemment un reportage sur une plante à l'effet coupe-faim utilisée par les Bochimans, peuple nomade de l'Afrique du Sud. Cette plante pourrait être un remède à l'obésité. Pourtant, il est trop coûteux d'en extraire le produit chimique et en produire une pilule. Mais je me demande si ces personnes n'ont pas « faim », non pas à cause de l'effet coupe-faim de cette plante, mais plutôt parce qu'elles ne mangent pas des filets poubelles dits diète supposés nous empêcher de trop manger. Après tout, ils vivent dans le désert et il n'y a pas de nourriture disponible à chaque coin de rue. Je constate que la première cause d'obésité réside dans la disponibilité d'aliments malsains et/ou l'incapacité apparente de cesser de les manger. Aucune plante ni aucune pilule ne pourra résoudre le véritable problème (toutefois une portion de plante

PGX^MD peut aider les personnes cherchant à éliminer leurs vices diététiques à atteindre la satiété).

En modifiant notre façon de penser les aliments et de les manger, nous assurons un changement durable.

De nos jours, la restauration rapide est certainement le vice diététique le plus facilement identifiable. Si nous devons résoudre l'épidémie d'obésité, nous devons commencer par nous même en faisant des efforts pour atteindre un poids sain. Nous avons malheureusement engraissé la mauvaise industrie. Celle-ci même qui devient riche en nous vendant des produits malsains toujours plus savoureux (traduction : provoquant une dépendance) et en nous assommant de publicités. Nous avons besoin de commencer à alimenter nos machines d'aliments sains (et de pensées positives) qui nous permettront d'être plus productif, positif, énergétique, heureux et en bonne forme.

La plupart des sociétés de restauration rapide font des actions dans ce sens, mais cela reste insuffisant. Lorsqu'une cliente bien intentionnée va dans une des plus grandes chaînes pour acheter une salade, elle se confrontera à beaucoup d'options malsaines. La salade accompagnée de poulet frit s'affiche sur le menu, elle est aussi représentée sur le set en papier du plateau. Le choix se fait alors par défaut. Vous devez préciser au vendeur que vous voulez la salade au poulet grillé accompagnée d'une sauce pauvre en matières grasses. Sinon, vous serez servis avec autant de graisse et autant de calories qu'un hamburger énorme peut contenir. Dure à croire ? Sachez que le sandwich le plus populaire contient 560 calories et 30 grammes de graisse. La salade au poulet croustillant arrosée de sauce césar compte 550 calories et 36 grammes de graisse. Il est clair que la restauration rapide « saine » n'est pas meilleure.

Avant de traiter le troisième vice diététique, je veux vous rappeler que si vous ne mangez jamais dans un restaurant rapide vous avez probablement un vice diététique riche en graisse et en calorie qui vous empêche de perdre du poids. Ne vous inquiétez pas, nous le découvrirons et tâcherons de vous en débarrasser.

❸ Télévision

Un autre vice s'ajoute à la plupart des calories contenues dans notre régime quotidien, mais surtout, nous empêche d'atteindre un poids sain. La télévision est devenue un vice pour beaucoup d'entre nous et c'est pourquoi il est le numéro trois dans cette liste.

Saviez vous qu'une personne regarde la télévision en moyenne plus de quatre heures par jour ?* Qu'est ce que nous pourrions faire de tout ce temps sur une année ? Pensez y : 365 jours x 4 heures = 1 460 heures. Admettons qu'il y ait trente-six semaines dans une année scolaire. Si vous substituiez les études à la télévision, en prenant des cours à plein temps, vous pourriez avoir achevé deux années entières de collège (ou d'université). La télévision a toujours sa place, néanmoins elle ne doit pas monopoliser *25 % de vos heures éveillées*. Pensez à ce dont vous aimeriez accomplir ou vos rêves d'enfant en utilisant ces quatre heures ?

Selon le Réseau TV-TURNOFF, nous avons commencé à développer une fidélité envers les marques dès l'âge de deux ans. Avoir regardé la télévision a pu développer une dépendance. Les parents savent qu'il est très facile de mettre un enfant devant la télévision pour pouvoir finir les tâches ménagères. N'est-ce pas les encourager à devenir des téléspectateurs mollassons ? Si nous changeons nos propres habitudes, ils suivront certainement. La télévision peut certes nous divertir ou nous informer, mais elle peut aussi monopoliser le temps qui pourrait servir à d'autres activités.

Lorsque nous regardons la télévision, nous sommes soumis aux publicités. En 1999, plus de 40 milliards de dollars ont été dépensés en publicité. Elles nous encouragent à grignoter et à manger aux restaurants rapides. En somme, nous restons assis à ne rien faire et la seule motivation qui nous est suggérée est d'avaler des aliments caloriques riches en gras.

Ironiquement, la plupart des publicités pour les programmes de perte de poids, les pilules diététiques, et ainsi de suite sont

*Toutes les statistiques proviennent du Réseau de TV-TURNOFF, basé à Washington, D.C., dont le projet (intitulé la vision réelle) est une initiative pour éveiller les consciences sur l'impact de la télévision. Visitez www.tvturnoff.org pour plus de renseignements.

diffusées via la télévision. Aurions-nous besoin de ces publicités si nous décidons simplement d'éteindre la télévision, de mettre de côté le casse-croûte et d'utiliser notre temps différemment ?

Tailles des portions

Nous mangeons tout simplement trop de nourriture. Lorsque l'on choisi un plat sain, la portion servies est pour deux personnes. Qu'en est-il des mauvais plats ?! Il y a assez de calories pour servir une famille de quatre personnes. L'augmentation de la taille des portions est une des plus grandes causes de l'obésité et de la crise de surpoids que nous traversons.

Trop de temps à ne rien faire

Le temps n'est-il pas la chose la plus précieuse que nous ayons ? Finalement, nous utilisons mal notre temps. En effet, 49 % des gens interrogés ont dit qu'ils regardaient trop souvent la télévision. Je ne sais pas si parmi ces 49 % se trouvent la majorité d'entre nous, mais une chose est sûre, nous ne sommes pas les seuls à regarder la télé. Si nous passons quatre heures devant la télévision, n'est-ce pas faut de supposer que nous sommes aussi en train de grignoter ?

Cela confirme que la télévision est devenue un des plus grands vices diététiques dans nos modes de vie. Si nous sommes assis et ne faisons absolument rien, nous ne brûlons pas de calories. Si en plus nous sommes en train de grignoter, nous rajoutons tout simplement des calories à notre poids actuel. En bref, nous prenons du poids à chaque fois que nous regardons la télévision et encore plus si nous grignotons. Peu importe qu'elle est la prise de poids associée, il prend seulement quelques semaines pour constater un changement considérable. Si vous avez gagné 1 livre pendant toutes les quarante heures passées devant la télévision, c'est une livre tous les dix jours. En d'autres termes, cela revient à gagner 36 livres par an (soit en moyenne 3 livres par mois) !

En installant la télévision comme élément central dans nos séjours, nous avons donné la priorité à la télé dans notre mode de vie. Il semble qu'il y ait toujours un programme pour nous divertir. Je ne pense pas que ce soit le divertissement lui-même qu'il faille remettre en cause, mais la dévaluation de notre créativité et notre productivité. Autrement dit, il nous faut faire des choses plus gratifiantes au long terme. La télévision réduit notre capacité à communiquer efficacement avec notre conjoint, nos enfants, notre famille et nos amis. Tout cela au nom du divertissement. Nous n'avons jamais eu des taux de consultation chez les psychologues et psychiatres aussi élevés et il en va de même avec les taux de médicaments prescrits pour difficultés mentales. La télévision pourrait-elle contribuer au problème ?

L'obésité ne cesse de gagner du terrain et pourrait bientôt rattraper le tabagisme en étant la première cause de décès *évitable*. Cela signifie que nous pouvons éviter ce sort par les choix que nous faisons. Avec des foyers ayant plus de télé que de salles de bain, il n'est pas étonnant que nous ayons perdu le sens des priorités. La façon dont nous dépensons notre temps est aussi importante pour notre santé et notre poids que celle de manger et boire.

Nos vices diététiques

Maintenant que vous êtes devenus familier avec les trois premiers vices diététiques présents en Amérique et plus généralement dans le monde entier, et si les choses ne changent pas, vous pourriez vous demander à juste titre quels sont les autres vices diététiques présents dans votre mode de vie. Par exemple, j'ai reçu un courrier électronique d'une femme âgée d'une vingtaine d'année qui m'a dit souffrir de surpoids et vouloir mon aide. J'ai demandé si elle pouvait identifier une chose qu'elle faisait de façon habituelle qui contribuait à son surpoids : un aliment en particulier, une collation, une boisson, et cetera. Elle a répondu qu'elle mangeait des beignets chaque matin et m'a demandé, « Est-ce que ca pourrait être cela ? » Auquel j'ai répondu, « Tu paris ! »

Il y a certainement beaucoup d'autres vices diététiques qui peuvent vous concerner, particulièrement si vous ne fréquentez pas les restaurations rapides, ne buvez pas de boissons gazeuses et ne regardez pas la télé. (Bravo, vous avez réussi à éviter les principaux !). Si c'est le cas, laissez-moi vous dire que vous représentez un faible pourcentage des personnes en surpoids. Néanmoins, vous avez très probablement d'autres vices identifiables qui vous empêchent d'atteindre un poids sain.

Une femme avec qui j'ai travaillé a reconnu qu'elle mangeait beaucoup trop de pain. Elle mangeait des bagels, des muffins, des scones, du pain au fromage. Lorsqu'elle a pris le temps de regarder ce qu'elle mangeait, elle en a conclu que c'était le pain qui l'empêchait de maigrir.

Une alimentation relativement saine (rappelez-vous que je ne rentre pas dans les détails, en évaluant chaque bouchées) peut tout de même être un problème si vous mangez trop. Les portions peuvent être trop grandes, particulièrement si vous vous resservez à chaque souper. Une de mes patientes mangeait tout simplement trop. À chaque repas quotidien, elle mangeait deux fois la quantité nécessaire à son organisme. Elle ne mangeait *rien de mal* mais seulement trop. Assez curieusement, elle utilisait une petite assiette, mais se resservait deux ou trois fois. Je l'ai convaincu d'utiliser une assiette de taille normale et de se servir correctement et en une fois seulement. Je lui ai conseillé de faire jouer sa volonté pour ne pas se resservir. Cela fonctionne puisqu'elle ne s'est pas resservie.

La plupart des personnes ingèrent trop de calories parce qu'elles consomment en trop grande quantité un groupe d'aliments ou un aliment en particulier. Comme cette femme, de l'exemple précédent qui mangeait des beignets presque tous les matins, ou celle qui aime manger du pain de toutes les sortes, vous mangez peut être trop souvent d'un aliment malsain ou très calorique tel que le chocolat, les brownies ou les bagels au fromage frais. Ce ne sont pas des exemples rares. La clé du succès, c'est d'identifier l'aliment très calorique que vous consommez quotidiennement. Ce sera alors votre diète.

Si cette description ne vous concerne pas, lisez ce qui suit :

Les vices diététiques courants

(Rappelez-vous que ce sont les vices dont nous cherchons à se débarrasser et non pas vos collations permises une à deux fois par mois)

Crème glacée, biscuits	chocolat, caramel
Brownies, pâte à biscuit	barres au caramel et les confiseries
Pâtisserie et scones	pizzas et frites
Croustilles de pomme de terre, et craquelins	desserts – gâteaux et tartes
trop/ou beaucoup d'aliments	Bagels au fromage frais
trop de fromage sur tout	maïs soufflé (avec un soda ?)
trop de bonbons sucrés ou de confiseries	céréales sucrées de déjeuner
la plupart des muffins	les hamburgers *(qu'importe ce qu'ils contiennent)*
le bacon et les saucisses (déjeuner)	pâtes à la crème fraîche
le pain blanc	la purée de pommes de terre
la taille des portions – Oui, c'est un vice !	le grignotage entre les repas
grignoter toute la journée et tard dans la nuit	manger trop de menthe *(10 calories x 10 par jour x 7 jours = 700 calories)*

La chose primordiale à comprendre est qu'il existe pour la plupart d'entre nous, seulement deux ou trois vices diététiques identifiables. Vous pourriez ressembler à Carol, qui buvait douze canettes de boissons gazeuses par jour et a perdu 45 livres en six mois en ne faisant rien d'autre qu'arrêter cette habitude **(cela peut se faire !)** ; ou Ralph, qui a cessé de manger un double cheeseburger par jour et a perdu 20 livres en trois mois. Ou cet homme qui m'a dit manger des croustilles pendant deux heures en regardant la télé tous les soirs avant d'aller se coucher et en arrêtant, a pu perdre 15 livres en deux mois rien qu'en faisant ce tout petit changement (sans faire quoi que ce soit d'autre). Si vous comprenez ce qu'est un *vice diététique* et que vous arrivez à en distinguer deux présents dans votre vie, c'est que vous avez pris la bonne route pour perdre du poids et améliorer votre santé. La première étape consiste à identifier ce qui se trouve sur *votre* chemin.

Je souhaiterai mettre en avant le fait que trop de diètes ou plan de diète sont « à taille unique ». Dans ces régimes, la marche à suivre est la même par personne, avec probablement quelques ajustements mineurs en fonction du poids et de l'âge. La réalité est tout autre. Chacun a ses propres caractéristiques physiologiques, son propre environnement et ses propres obstacles à surmonter. En identifiant les trois vices diététiques majeurs, nous avons commencé à nous attaquer au deux tiers des causes qui expliquent nos problèmes de poids. Le tiers restant provient d'autres facteurs que ceux des boissons gazeuses, de la restauration rapide et la télévision et peuvent être traités avec la même méthode d'élimination des vices.

La bonne approche

Le confort moderne comme la voiture et l'ordinateur ont rendu le transport et la communication certes beaucoup plus facile, mais ils n'ont rien fait pour nous aider à rester en forme. Nous n'avons plus besoin d'exercice physique pour accomplir nos tâches ou nos objectifs. Les diètes modernes ne nous ont pas aidés non plus à atteindre une perte de poids durable.

Vous pourriez croire que vous n'avez pas pu perdre de poids dans le passé parce que vous suiviez la mauvaise diète. Cependant, je pense que n'importe quelle diète, *si* elle est suivie à la lettre, peut vous aider à perdre du poids à un certain degré et au moins pour un certain temps. Pourtant, il est courant que ces diètes et la perte de poids qui y est associée ne s'inscrivent pas au long terme. Même si elles sont bien intentionnées et peuvent vous faire mincir, l'approche utilisée reste mauvaise. Les mauvaises approches nous font changer trop vite, passant d'un jour à l'autre d'une habitude de personne en surpoids à celle d'une personne mince, mangeant sainement, et faisant du sport. Il y a très peu de personnes qui peuvent supporter ce changement drastique. En plus de vous donner des objectifs cohérents, l'élimination des vices vous donnera la bonne approche pour pouvoir maigrir et vivre sainement et mince pour de bon.

Un sommet pour le changement

Le Sommet sur l'obésité de juin 2004 organisé par le magasine Time et la chaîne ABC News, a eu lieu à Williamsburg, en Virginie. J'ai eu l'occasion d'y participer et de rencontrer des gens du monde entier tels que les directeurs marketing des sociétés alimentaires, les publicitaires télé, les producteurs des émissions télévisées pour enfants, mais aussi des auteures, des docteurs, des chercheurs et des scientifiques. En bref, tous ceux susceptibles d'avoir un impact sur notre santé et notre poids. Pourtant, la conclusion du sommet fût mitigée. Il y aurait tant de choses différentes responsables de cette épidémie, qu'il n'y a pas de solution claire à l'obésité. N'importe quelle diète fonctionne si l'on s'y tient mais ce qui nous manque essentiellement, c'est un changement de mode de vie.

Je suis partie de cet événement avec l'idée qu'il est très difficile pour une personne ou même plusieurs d'achever quoique ce soit au niveau national. Même si le gouvernement met en place une politique qui impose à une chaîne nationale de restaurant rapide un nouveau menu équilibré (juste un !), la paperasserie prétendue nécessaire (passant par la simple soumission de la proposition, à l'approbation de chaque bureau et aux examens par des comités) nous prend la plupart de notre temps, de nos efforts et de notre argent. La meilleure façon d'influencer la composition alimentaire des rayons alimentaires des supermarchés, des menus, des distributeurs automatiques et dans nos écoles est *d'éveiller les consciences et prendre des décisions*. Nous pourrons ainsi créer une société plus saine.

Mon objectif est de vous présenter ce plan de diète. Il est aussi de montrer à toutes les personnes ayant besoin de perdre du poids et voulant perdre du poids que l'avenir se joue collectivement. Les grandes entreprises et le gouvernement changeront d'attitude à condition que nos actions changent. Il est donc important pour nous d'arrêter de croire que les sociétés de restauration rapide ou n'importe quels autres fabricants alimentaires tiennent nos intérêts à cœur. Ils ne s'en soucient tout simplement pas. Ils se préoccupent plutôt de nous faire revenir dans leurs chaînes ou de nous faire acheter plus, parce qu'ils ont des marges bénéficiaires à maintenir, des cibles trimestrielles à atteindre, des analystes de Wall Street à impressionner et des actionnaires affamés de dividende à satisfaire. Il n'y a rien dans cette liste qui dit « à propos, la nourriture doit être saine ! ». Il y a tout de même des exceptions à la règle, mais je parle ici des sociétés qui ont le plus d'influence sur les américains.

Aussi, commençons par apprendre à faire la différence entre un *vice alimentaire* et un *choix sain*. C'est à partir du moment où nous prenons nos vies en main et commençons à comprendre ce qui est bon de ce qu'il ne l'est pas, qu'alors et seulement alors, nous pouvons entreprendre les changements nécessaires pour gagner la bataille à laquelle nous faisons face.

Chapitre 2

Les avantages liés à la perte de poids

Il est très important que vous sachiez non seulement tous les points positifs liés à la perte de poids, mais surtout, que vous vous concentriez sur les bonnes raisons qui vous pousse à vouloir maigrir. Une bonne raison pourrait être n'importe quelle raison qui vous motive à mincir. Cependant, les véritables raisons sont celles qui vous permettrons de maintenir un poids sain. En vous fixant des buts, en restant motivé et en réalisant votre perte de poids, vous pourriez découvrir des avantages supplémentaires présents dans votre vie.

Un poids sain comparé au surpoids ou à l'obésité est un poids corporel qui est moins susceptible d'être lié à des problèmes de santé tels que le diabète de type 2, les maladies cardiaques, la pression artérielle, un taux élevé de cholestérol et bien d'autres maladies. Un indice de masse corporelle (IMC) compris entre 18,5 et 25 se réfère à un poids sain, bien que les individus ayant un IMC dans cette gamme n'aient pas forcement un taux de graisse sain. Ils peuvent avoir plus de tissus graisseux dans l'organisme et moins de muscle. Un IMC compris entre 25 et 30 se réfère au surpoids et un IMC de 30 ou plus indique un état d'obésité.

L'indice de masse corporelle peut être calculé en utilisant des livres et des pouces avec cette équation :

$$\mathbf{IMC} = \frac{\text{poids (livres) x 703}}{\text{Tailles}^2\,(\text{pouce}^2)}$$

Une attitude positive

Une attitude positive peut faire la différence entre succès et échec. Cela signifie t-il qu'il faille d'abord adopter une attitude positive pour réussir ? Non, mais pour être fort mentalement, vous devez commencer à « alimenter » votre esprit de pensées saines et positives.

J'ai croisé des personnes obèses qui se sentaient soit impuissantes soit désespérées. Si vous avez 100 livres ou plus à perdre, il est très difficile d'adopter une attitude joyeuse et d'avoir le sourire, mais avancer semble impossible sans un changement d'attitude. Plus vous remettrez vos objectifs à plus tard, plus vous allez perdre espoir. Alors même que vous commencez à agir en faveur d'une perte de poids, grâce aux étapes recommandés dans ce livre, vous commencerez à développer une attitude différente. Le changement tant dans l'attitude que dans la perte de poids sera subtile et, comme toutes les choses qui sont significatives, cela prendra du temps. Ce qu'il faut retenir, c'est qu'un simple petit changement menant à la perte de poids peut aider à créer une attitude positive et interagir avec d'autres aspects de votre vie.

Changements physiologiques précoces

Après quelques jours ou quelques semaines passée à œuvrer pour une meilleure santé, votre corps commencera à se sentir mieux. Au troisième jour du programme, une femme avec qui j'ai travaillé m'a dit se sentir « bizarre ». Je fus préoccupée jusqu'à ce qu'elle m'ait expliqué ce qu'elle entendait par « bizarre » : elle ne s'était jamais aussi bien sentie. Apparemment elle n'était pas plus fatiguée que d'habitude et s'est même sentie plus énergétique. C'est sans doute le retour d'information le plus commun que je reçois : les gens voient un changement énergétique presque immédiat. Ce n'est pas qu'ils aient soudainement trouvé une quantité d'énergie supplémentaire. Ils éprouvent simplement un niveau d'énergie proche de la normalité. Pendant la première semaine de ce programme, vous constaterez que cela pourrait peut-être vous concerner.

Un autre changement *physiologique* positif que j'entends et que plusieurs personnes remarquent, concerne l'amélioration du sommeil. La qualité du sommeil dépend des niveaux de glycémie. Avoir des pratiques alimentaires malsaines ou manger tard dans la nuit (ou les deux) sont connus pour causer des insomnies qui se produisent lorsque les aliments digérés augmentent d'abord vos niveaux d'hormones pour ensuite les laisser s'effondrer. Donc si vous mangez mieux et particulièrement si vous consommez du PGX[MD], il est très probable qu'après la fin de la première semaine, vous aurez stabilisé les fluctuations anarchiques de votre sucre dans le sang, vous permettant ainsi de mieux dormir. Bien sûr, si vous avez déjà perdu un certain poids, cela peut aussi avoir un effet positif sur votre sommeil. En effet, une étude faite par des docteurs de l'université de Columbia en 2004 a suggéré que les personnes qui dorment moins de cinq heures par nuit avait plus de risque d'être en surpoids que celles qui dorment à peu près huit heures par nuit. Il est probable que les personnes en surpoids puissent avoir plus de difficultés à dormir, pour des raisons incluant les effets de l'apnée du sommeil rendant difficile l'arrivée d'oxygène. Les propos qui suivent vous feront comprendre pourquoi il est important de se soucier du sommeil quand on parle d'un problème alimentaire. Dormir un nombre d'heure suffisant mène à plusieurs avantages : une meilleure énergie disponible pendant la journée, une amélioration de l'humeur, moins d'échec et plus de productivité. En parcourant ce livre, vous verrez que ces changements font partie intégrante de la marche à suivre pour regagner la santé et acquérir de saines pratiques alimentaires. Le manque de sommeil se met aussi en travers de votre chemin car dormir moins peut signifier plus de temps passé à manger !

Productivité accrue

Quand les niveaux d'énergie et votre confiance (attitude) s'amélioreront, vous serez plus productifs. Vous pourrez constater que vous accomplissez plus de choses en moins de temps et vous vous sentirez donc plus efficace. De temps en temps, cela peut créer un problème : même si vous bénéficiez d'un niveau d'énergie plus élevé, vous n'avez cependant aucune idée sur la façon dont vous pourriez utiliser ce nouveau surplus d'énergie. Deux ou trois personnes avec qui j'ai travaillé, ont utilisé ce surplus de temps comme une permission pour manger, parfois en le faisant incon sciemment, venant ralentir leurs résultats.

Être plus productif n'est souvent pas considéré comme un moyen pour atteindre ses objectifs de santé, mais si vous commencez à penser à ce que vous avez remis ou évité dans le passé (parfois pendant des années), vous pourriez juste vouloir faire un essai. Quand j'ai rencontré Janice, une artiste en surpoids d'environ 55 livres, elle m'a dit ne pas avoir peint depuis de nombreuses années parce qu'elle n'en avait simplement plus envie. En fait, la vérité était qu'elle n'avait simplement plus l'énergie pour continuer. Elle a dû arrêter d'exercer son talent. Après environ trois semaines de programme, elle s'est rendu compte qu'elle avait à nouveau l'envie de peindre.

Plus de motivation

Quand mon site Web a affiché un sondage qui demandait, « qu'elle est la partie la plus difficile lorsqu'on essai de maigrir ? » la majorité (environ 60 %) a choisi « être et rester motivé. » Il est dur de rester motivé quand le programme que vous suivez ressemble à un travail. Si vous avez essayé plusieurs diètes différentes (comme l'indique les enquêtes sur les personnes suivant une diète), alors vous savez qu'il est dur de trouver la motivation nécessaire pour commencer une autre diète, surtout quand toutes les précédentes ont été difficiles ou se sont avérées infructueuses. Mais il est plus facile de suivre *La diète coupe-tentations* car elle prend en considération le fait que vous trouvez probablement difficile le fait d'être motivé et de le rester. Une fois lancé et fidèle au programme, vous créerez alors le désir d'aller toujours plus loin. Autrement dit, vous créerez votre propre motivation.

Mon fils de douze ans, Clark, a appris à jouer de la guitare. Ce qui lui permet de rester motivé c'est qu'il peut dorénavant jouer une partie des chansons qu'il aime vraiment. Son professeur lui montre comment jouer quelques notes et sa musique commence à ressembler un peu à celle qu'il écoute sur CD. Cependant, il doit surtout s'exercer à gagner les bases pour qu'il puisse vraiment jouer par la suite. En apprenant des chansons qu'il aime, il reste motivé pour apprendre à jouer.

Si vous remarquez des résultats, vous augmenterez votre confiance en vous et serez plus motivé pour continuer. Cette motivation finira par s'élargir à d'autres aspects de votre vie tels que le travail, la famille ou encore les relations interpersonnelles.

Réduire le stress

En consommant trop de boissons gazeuses ou à forte teneur en sucre, d'aliments salés ou des produits alimentaires gras, vous mettez votre organisme dans une situation de stress inutile. Vous avez aussi plus de stress lorsque vous conduisez, travaillez, passez du temps en famille, ou essayez de dormir. Si vous avez des toxines dans votre organisme (et assumons que lorsqu'on est en surpoids c'est qu'on a ingéré trop de calories malsaines), cela peut vous occasionner du stress. Quand vous êtes en surpoids, votre organisme pourrait fonctionner au ralenti et vous pourriez même vous sentir tendu en faisant des choses qui devraient normalement être plus facilement à gérer. Au bout de quelques jours après le commencement de la première étape du programme coupe-tentation, vous pourriez vous sentir excité en remarquant une réduction de votre niveau de stress.

Dans un premier temps, vous commencerez par vous sentir mieux parce que vous agissez en faveur d'une perte de poids. Dans un deuxième temps, vous verrez que vous n'ingérerez plus autant d'éléments chimiques responsables de stresser inutilement votre organisme.

Améliorer son apparence

La sensation d'être plus séduisant est l'un des changements les plus utiles. Vous pouvez concrètement noter la différence produite par ces petits changements que ce soit dans le reflet du miroir ou dans le port de vos vêtements. Une femme m'a dit s'être sentie plus confiante dans son apparence après seulement trente jours. Les changements ne sont pas de manière radicale. Nous ne cherchons pas à atteindre le record de la plus grande perte de poids sur le plus petit laps de temps. J'ai entendu des gens me dire qu'ils sentent leurs vêtements devenir plus amples seulement après la troisième semaine.

Un outil inestimable pour *mesurer vos progrès* est la façon dont vous vous sentez dans vos vêtements et l'impression que cela vous fait en vous regardant dans le miroir. Néanmoins, l'apparence ne devrait pas être votre principale inquiétude car les changements intérieurs apportent bien plus sur le long terme pour la santé. Bien que vous ayez perdu une taille de vêtement vous pourriez également constater que votre poids n'ait pas changé dû à l'augmentation du tonus musculaire.

Les avantages économiques

Alors que vous commencez à vous sentir plus énergétique, moins stressé et vous vous trouvez plus productif, vous pourriez découvrir que vous avez l'opportunité de gagner plus d'argent. Comme vous pouvez le voir sur www.firstscience.com, des études de l'université de Cornell ont montré que les personnes en surpoids gagnent moins d'argent. Une étude sur les gradués des écoles de commerce a déterminé que les hommes qui étaient en surpoids de 20 % ou plus gagnaient 4 000 $ de moins sur une année que leurs égaux plus minces. Indépendamment du fait que cela peut être injuste ou discriminatoire, c'est peut-être une raison supplémentaire qui peut vous donner envie de perdre du poids. J'imagine que bien des personnes puissent protester contre cette statistique, ceci dit, cela peut renvoyer au fait qu'ils ont un problème de productivité. Autrement dit, si vous êtes en meilleure santé, en ayant une plus grande énergie et une productivité accrue, vous aurez plus de chance de vous faire remarquer et au final, obtenir une augmentation ou une promotion.

D'autres facteurs économiques entrent en jeu. Vous verrez que le temps dont vous manquiez au travail pour finir vos tâches à cause de votre état de santé sera réduit. Les rapports montrent que les personnes en embonpoint prennent plus souvent des congés maladie et manquent plus de journées au travail que celles qui ont un poids sain. Vous serez ainsi en mesure de réduire vos frais médicaux et vos visites chez le médecin.

Les avantages psychologiques

Alors même que vous commencez à remarquer des changements sur votre état d'esprit et sur votre corps, vous prendrez confiance en vous et vous pourrez ainsi aller là où vous n'osiez pas auparavant : tel que jouer au parc ou balancer vos enfants sur la balançoire. Linda a osé après seulement quelques semaines. La peur nous empêche de faire certaines activités, nous avons peur que les gens se moquent de nous, ou de la possibilité que cette balançoire se casse et être humilié. Ces peurs vont s'éloigner au fur et à mesure que le temps passe et vous pourrez enfin espérer les laisser loin derrière vous.

Une cliente âgée d'une cinquantaine d'année n'avait pas l'énergie nécessaire pour aller se promener avec ses petits-enfants et jouer avec eux au parc. Elle devait s'aider d'une canne pour marcher. Son médecin lui avait recommandé avec pessimisme d'accepter cet état. Pourtant, après moins d'une année, avec seulement deux ou trois changements simple de mode de vie, elle a rangé sa canne au placard. Elle peut désormais marcher sans cette dernière et jouer avec ses petits-enfants. Maintenant elle utilise la canne pour « faire tomber ses affaires rangées en haut de l'armoire » et comme un mauvais souvenir pour ne plus jamais faire marche arrière. Elle est plus motivée que jamais à faire des choix sains.

Améliorer ses rapports sociaux

Malheureusement, beaucoup de personnes en surpoids se sentent socialement rejetées ou du moins marginalisées par la société. Je reconnais que j'estimais auparavant que mon avis n'avait pas le même impact que ceux des personnes ayant un poids normal. Nous ne devrions pas être jugés sur notre apparence. Pourtant celle-ci est souvent à l'image des choix que nous avons fait.

Plutôt que de vous concentrer sur votre apparence, penser que ce regain de santé vous permettra de faire toutes les choses qui vous causaient du mal auparavant. Vous pouvez vous efforcer d'obtenir un niveau de forme physique tel que vous n'aurez presque plus de limite.

Les avantages possibles grâce à une santé plus saine et une meilleure forme physique

- Se montrer plus confiant en public
- Travailler plus efficacement
- Être capable de saisir plus d'opportunité
- Être plus séduisant
- Passer de meilleures nuits en dormant mieux
- Avoir une pression artérielle plus faible
- Avoir plus d'énergie au cours de la journée
- Avoir une meilleure consommation de carburant (peut-être !)
- S'asseoir dans un siège de cinéma plus aisément
- Ne pas avoir à acheter deux billets d'avion
- Marcher plus vite
- Avoir plus de temps libre pour soi-même
- Augmenter ses capacités sexuelles
- Montrer des prises de décision améliorée
- Porter des vêtements plus élégants
- Économiser de l'argent sur les dépenses de santé
- Économiser du temps en fréquentant moins les services de santé
- Avoir plus de temps pour les autres
- Montrer plus de créativité
- Montrer le bon exemple aux enfants
- Pouvoir voyager plus
- Pouvoir voyager à haute altitude
- Avoir plus de potentiel
- Gagner plus d'années en santé
- Éviter une mort lente due aux maladies liées à l'obésité
- Gagner un salaire plus élevé
- Vivre plus heureux
- Vivre plus longtemps
- Vivre sans regret

Survivre aux circonstances difficiles

Notre santé et nos niveaux de remise en forme ne nous aideront pas à surmonter les catastrophes naturelles, les accidents ou d'autres événements traumatiques. Pourtant, ils peuvent nous aider à récupérer. Une meilleure forme physique nous prépare à mieux dominer les traumatismes lorsqu'ils se manifestent.

Il y a également le problème de littéralement survivre physiquement aux traumatismes physiques et psychiques. Que se passe-t-il si vous avez besoin de subir une intervention chirurgicale capitale sans rapport avec votre embonpoint mais que votre chance de survie est diminuée à cause de votre état de santé ? Vaut-il la peine de faire aujourd'hui des choix pris à la légère et de vous mettre en danger demain ?

Lorsque vous vous mettez dans une situation que vous ne maîtrisez pas, cela peut vous dévaster si vous sentez que votre vie est menacée. Votre corps répond par la **lutte**, la **peur** ou la **fuite**. Votre adrénaline commence à monter. Vous pourriez vous mettre à **lutter** pour outrepasser ce phénomène. Vous pourriez avoir **peur** et vous ne pouvez rien faire car vous êtes bloqué. Une autre réaction pourrait être celle de la peur et de prendre la **fuite** en esquivant le problème. Vos conditions mentales et physiques du moment détermineront votre réponse. Si vous êtes mince, vous pourriez avoir le choix. Mais si vous êtes en surpoids, vous n'aurez peut-être pas ce choix.

Alors pourquoi ne pas être capable, confiant, mince et en santé pour que vous puissiez compter sur vous-même ?

Les avantages fondamentaux

À un moment donné, tous les aspects de votre vie se rejoignent : votre agenda, votre niveau d'énergie, votre attitude, votre productivité et votre efficacité, en outre, votre état de santé en général. Votre esprit est claire, vous vous sentez confiant, vous vous promenez le sourire aux lèvres tout en sachant que vous avez acquis les habitudes et la façon de penser d'une personne en bonne santé et en bonne forme physique. Vous avez l'énergie pour atteindre vos buts et faire ce que vous voulez. Vous avez la forme physique pour prendre des décisions rapides et êtes assez confiant pour penser que ce sont les bonnes. Vous ne vivrez pas seulement une vie saine et positive, vous serez vous-même une personne positive et en santé ! Vous aurez également la capacité de viser de plus grands buts et d'obtenir plus de réussite. C'est l'avantage fondamental acquis lorsqu'on avance vers une vie plus saine et en meilleure forme physique. C'est l'objectif sur lequel vous travaillez. Vous êtes capable d'atteindre un tel niveau. Cette réussite débute toujours par une décision et une action. Commencez par celle-ci et vous n'aurez plus de limite !

Aller droit au but

Vous allez vite vous rendre compte que vivre sainement vous donnera le temps de jouir de votre perte de poids, augmenter votre énergie et avoir plus de temps pour faire ce que vous voulez. En d'autres termes, vous aurez plus de temps pour aboutir à vos objectifs et apprécier la récompense, celle de les atteindre.

Chapitre 3

Les clés du **succès** pour perdre du poids

Les études que nous avons menées sur mon site Web indiquent qu'en moyenne nous avons tenté de mincir pendant environ *vingt ans* ! La réponse la plus commune à la question « Combien de diète ou de produits avez vous essayez » est « Trop pour pouvoir compter » (ou quelque chose de très semblable). Apparemment, on veut essayer à peu près tout pour perdre du poids et nous ne sommes pas prêts à arrêter. Si vous avez testé de nombreuses diètes dans le passé, il vous faut alors comprendre pourquoi ces tentatives ont échoué et vous concentrer sur les points importants associés à la perte de poids, cela quelque soit la diète que vous suivez.

Prenez votre temps

Vouloir aller trop vite est la première raison qui explique l'échec de vos tentatives minceurs. Si vous avez suivi des programmes diététiques qui imposent la préparation de plats dont vous n'êtes pas familier, alors il y a une étape d'apprentissage à franchir et un temps d'adaptation qui ne sont peut-être pas compatibles avec votre agenda. Il est difficile d'apprendre un programme diététique en entier alors qu'il vous reste des milliers de choses à faire. Très rapidement, vous vous trouvez proche du point de départ, puis les habitudes passées reprennent.

La première clé est d'éviter d'en faire trop et trop vite. Si demain vous commencez à suivre un régime tout à fait différent de celui que vous suiviez jadis, vous êtes presque certain d'échouer.

Si j'ai connu beaucoup d'échec dans le passé avec les diètes, c'est parce que j'ai voulu tout faire d'un coup. Je pensais qu'il me fallait le faire parfaitement ou sinon rien. J'ai essayé à deux reprises de suivre un régime alimentaire avec un groupe et un parraineur mais cela ne m'a pas aidé. Ils nous demandaient de suivre ce régime en une seule fois et à la perfection. Au moindre écart, c'était fini, retour à la case départ.

Si vous pensez qu'il est nécessaire de faire tous les changements diététiques en une seule journée, alors, s'il vous plaît, repensez-y. Il n'y a aucune raison à laquelle je puisse penser, ou que j'ai pu lire qui justifie devoir changer de régime en une nuit. Votre corps a besoin de temps pour s'adapter. Il en va de même pour votre esprit.

Par conséquent, évitez d'en faire trop. Si vous pensez que vous en faites trop, c'est que c'est le cas. Je ne dis pas que mincir sera facile, mais pour la plupart des personnes, le faire à grand pas est une solution facile pour faire les choses bien et en toute sécurité.

La patience est une vertu

Tout le monde peut être excité à l'idée de perdre 10 livres en une semaine. Pourtant, c'est une mauvaise approche car perdre tant en aussi peu de temps mettra votre corps dans un stress mental et physique considérable. Bien que ces promesses puissent faire vendre, personne ne peut penser que perdre autant de poids en si peu de temps peut mener à un changement définitif et durable. Ici, on parle plutôt de tenter de mincir pour une occasion ou un événement précis. Pourtant, il serait opportun de régler ce problème de façon permanente pour qu'il ne réapparaisse pas tous les ans à chaque événement ou à chaque vacance.

Maigrir sur le long terme est beaucoup plus facile et il y a une plus grande probabilité pour que vous accédiez à un niveau de santé optimal si vous réalisez qu'il n'est pas nécessaire de perdre le poids désiré en une période de temps fixée. Si vous pensez qu'il vous faut trois mois pour perdre X livres pour une occasion donnée, vous devez changer votre façon de penser. Perdre un certain nombre de poids en un certain nombre de temps n'est *pas* la partie la plus importante lorsque l'on cherche à perdre du poids.

Si vous pensez à tous le temps que vous avez vécu en embonpoint, est-ce que vous pensez vraiment qu'il est important de perdre ce poids en six mois plutôt qu'en dix mois ? Vous le perdrez quoi qu'il arrive, mais ne vous fixez pas de date précise.

Prendre le temps de perdre du poids vous donnera aussi le temps nécessaire pour changer et adapter votre état d'esprit à un mode de vie sain.

Votre mode de vie actuel

La plupart des diètes ne prennent pas en compte le mode de vie. Nous avons tous des corps et des métabolismes différents. Nous avons aussi différents type de travail, loisirs, stress, problèmes et responsabilités. Bien que nous puissions vivre des expériences similaires au cours d'une vie, nous avons nos propres épreuves et mésaventures à chaque période. Il est dur de trouver un plan qui fonctionne pour tout le monde. Cependant, il semble que la plupart des personnes qui ont essayé PGX^MD et qui l'ont associé à une diète l'aient accueillis à bras ouvert. PGX^MD permet en effet de réduire la sensation de faim entre les repas et de contrôler ses portions. En débutant vos journées en meilleure santé et avec énergie et vitalité, rappelez-vous seulement que la capacité à adopter des changements dépend de notre mode de vie. Plus une approche diététique s'adapte à votre mode de vie actuel plus vous serez en mesure de réussir. PGX^MD en est le bon exemple. Ajoutez-le à vos plans de repas dès le début ou ajoutez-le après les premières semaines du programme coupe-tentations, c'est à vous de choisir. L'ayant testé, je peux vous dire que c'est le supplément le plus facile et le plus efficace que vous pouvez ajouter au plan coupe-tentations décrit dans ce livre.

Comment changer

Maintenant que vous comprenez pourquoi la plupart des diètes n'ont pas marché, dans le passé (pourquoi elles ont échouées et non pas vous), il est temps de considérer les facteurs importants qui vont faire en sorte que ce plan marche. Faire des changements est inévitable lorsque l'on veut perdre du poids. Il est correct de dire que

« si vous voulez continuer à obtenir ce que vous avez pu obtenir, il faut donc continuer à faire ce que vous avez fait jusque là ». Essayons de comprendre la façon de faire les changements nécessaires le plus efficacement possible pour non seulement perdre du poids, mais aussi construire un mode de vie sain et durable.

Comment perdre du poids et développer un mode de vie sain

Ayez une attitude positive. Une attitude positive engendre des actions et des résultats positifs, améliore votre esprit créatif, augmente votre productivité et vous donne accès à des ressources auxquels vous n'auriez pas pu penser sans positiver.

Pour que tous vos objectifs deviennent réalités, vous devez vous concentrer sur tous les avantages à être en bonne forme et adopter un mode de vie sain avant de pouvoir commencer. En faisant ainsi sur une base régulière, votre motivation, votre force et votre désir de réussir n'en seront que renforcés.

Une attitude positive est bien plus que le fait de penser pouvoir y arriver. C'est plutôt penser qu'on peut vraiment y arriver et être déterminé quelque soit les circonstances.

Avancer par étape. En prenant le temps de faire les choses étape par étape, vous améliorerez la qualité de chaque action. Faire trop de changement en peu de temps va surcharger votre cerveau et vous risqueriez de revenir rapidement aux mauvaises habitudes.

J'ai d'abord commencé par apprendre. J'ai réalisé que je devais changer seulement les choses dont j'étais capable lorsque j'ai abandonné les exigences de nombreuses diètes et leurs préparations draconiennes. En me concentrant sur une étape à la fois, j'étais heureuse de terminer enfin quelque chose et de constater un changement. *C'est seulement en atteignant une succession de petits buts qu'on réussi à atteindre l'objectif majeur que l'on s'est fixé.*

Concentrez-vous sur les actions. Les actions sont des actes quotidiens que vous pouvez accomplir et qui contribuent à votre objectif final.

J'en reparlerai de façon plus détaillé plus tard, mais pour l'instant, il est important que vous preniez les actions nécessaires à l'écrit (pour une journée entière) de la même façon et tous les jours. Cela vous permettra de voir ce que vous faites et de faire le point à la fin de chaque journée. Si vous n'avez pas fini votre programme du jour, vous le reporterez sur celui du lendemain. Votre concentration doit se porter sur *votre* agenda.

Rappelez-vous que vous ne pouvez pas changer votre poids d'aujourd'hui *sans changement au préalable.*

Si vous pensez que la balance est un moyen d'évaluer vos résultats, vous vous trompez ! D'accord, la balance peut vous aider à distinguer les progrès faits, mais c'est la manière de compter la moins importante ! Si la balance était la meilleure façon d'évaluer vos progrès, vous tromperiez tout le monde en perdant du poids grâce à des procédés malsains et dangereux tels que la boulimie, l'utilisation de drogues, la chirurgie, l'anorexie. Pensez seulement à développer des *habitudes positives.* Cela comprend deux parties, la première est de positiver, ce qui signifie que les actions doivent être saines et la seconde est de créer des habitudes, ce qui signifie que vos actions doivent être permanentes. Oublier votre poids et porter votre attention uniquement sur les actions, les *unes après les autres*, c'est ce qui différencie ce programme de diète des autres.

Ne dites à personne que vous faite une diète. Que faisons-nous quand nous commençons une nouvelle diète ? Nous sommes excités parce qu'il va arriver : une nouvelle façon de se nourrir, des nouveaux suppléments alimentaires ou un nouveau programme d'exercice physique. Généralement, l'excitation tombe après quelques jours et nous finissons par ressentir un sentiment d'échec.

Comme je vous l'ai déjà dit, l'enquête que j'ai mené sur mon site Web indique que les personnes qui y ont répondu ont fait la diète pendant presque vingt ans. Cela veut dire qu'au cours de notre vie d'adulte nous n'avons cessé de penser à faire une diète ou de prendre des mesures pour perdre du poids. Cette tendance semble énorme pour ceux d'entre nous qui souhaite perdre 50 livres ou plus, voire au-delà d'un poids idéal. Plus nous prenons du poids, plus nous sommes tracassés par ce que nous mangeons et ce que nous ressentons. En conséquence, notre humeur prend le contrôle et décide ou non s'il nous faut manger. Ce que nous mangeons et la quantité mangée influence aussi notre humeur en créant un cercle sans fin. Après avoir été tourmentée par la perte de poids pendant tant d'années, il est normal de consacrer un temps considérable pour se tenir informer sur votre dernière diète, plan ou programme diététique. Ce phénomène peut rendre les choses plus difficiles et vous mettre dans un état d'anxiété quant aux résultats espérés et vous inciter à vous peser tous les jours. Vous ne devez pas faire cela car il vous faut presque oublier que vous faites des changements. Soyez simplement patient et tâchez de vous concentrer sur vos objectifs quotidiens.

Passer le cap

Lorsque l'on décide de surmonter n'importe quel projet d'envergure, d'atteindre nos objectifs ou d'entreprendre des modifications dans notre mode de vie, nous pouvons nous confronter à des résistances une fois le premier effort fournit. Nous devons nous forcer un peu plus pour surpasser cette résistance et arriver au point où les changements que nous faisons deviennent notre mode de vie.

Les concepts clés pour *passer le cap* sont l'obstination et la patience. Vous ne pouvez pas avancer plus vite et vos actions initiales doivent être tenues. Cela veut dire qu'aucune excuse ne doit se mettre en travers de votre route (et ne vous inquiétez pas, ce n'est pas si dure !). Après avoir fournit des efforts continus sur vingt et un jours, les efforts seront plus faciles.

Au chapitre suivant, je commencerai tout d'abord par vous présenter un plan de 21 jours qui marche parce qu'il est fait *par* vous et *pour* vous ! La structure est certes la mienne, je l'ai développé au cours de ma propre bataille contre l'excès de poids, mais les détails seront les vôtres. Avant même que l'on ne se lance dans le plan, je vais répondre à toutes les questions que vous avez pu vous poser jusqu'à présent en lisant ce livre.

Le PGX^MD^ dont je vous ai si souvent parlé, de quoi s'agit-il ? Pourquoi est-il une innovation formidable en termes de contrôle de poids et de vitalité naturelle ? Pour le comprendre, lisez la suite !

Chapitre 4

Débutez votre diète coupe-tentations **sans effort** avec PGX^MD

Quand j'ai pris le chemin de la perte de poids, j'ai espéré de nombreuses fois qu'une chose vienne m'aider. Quelque chose qui vienne augmenter ma volonté lorsque je me confrontais à de la nourriture certes tentante, mais malsaine et qui pourrait éloigner cette folle envie de grignoter l'après-midi. Cela me semblait un rêve impossible, surtout si je voulais éviter les coupe-faims ou les stimulants et leurs effets indésirables. En effet, c'était un rêve impossible jusqu'à ce qu'une équipe scientifique ait découvert et mis au point une fibre cellulose connue aujourd'hui sous le nom de PGX^MD. Il est disponible en granulé, en gélule, et bientôt sous forme alimentaire (d'après ce que j'ai entendu). Ce produit formidable peut-être pris pendant les repas pour vous aider à atteindre un niveau de satiété convenable tout en ayant de saines pratiques alimentaires. PGX^MD est un peu comme une dose de volonté supplémentaire, un encouragement de plus et une façon de vous aider à trouver le mode de vie équilibré que vous recherchez.

Vous avez demandé : est-ce que c'est vraiment bon ? Oui, ça l'est ! Et je suis heureuse de pouvoir l'inclure dans cette nouvelle édition de *La diète coupe-tentations*.

Je peux personnellement attester le pouvoir de PGX^MD. Après 40 ans, il m'a semblé encore *plus* difficile de maintenir mon poids, bien que ça l'ai toujours été. Mon appétit s'est développé et sa maîtrise (ou ma façon d'y répondre de manière appropriée) m'exigea une attention constante. Je n'ai pas toujours réussi à maintenir mon niveau de sucre dans le sang, mais cela me donnait une envie folle de manger tout et n'importe quoi, sain ou malsain. Après avoir essayé PGX[MD] grâce à un ami, je fus rapidement surprise en n'arrivant pas à finir ma grande assiette de salade habituelle. J'étais rassasiée et bien plus vite que je ne l'aurais été sans PGX[MD]. J'ai recontacté mon ami pour essayer de comprendre « C'est quoi ce truc ? »

Au risque de paraître un peu commercial, laissez-moi tout de même-vous éclairer. J'ai appris que PGX[MD] est :

- Facile
- Fiable
- Cliniquement éprouvé pour être efficace
- Naturel
- À base de plantes
- Testé et développé scientifiquement

Dans un sens, je ne me souciais pas vraiment de la raison pour laquelle je mangeais avec bonne humeur des portions plus petites. Je ne me souciais pas non plus de la raison pour laquelle j'avais acquis une meilleure maîtrise sur mon appétit tout en stabilisant mon taux de sucre dans le sang. D'un autre côté, je considère la santé comme un point essentiel et je savais l'importance d'expliquer à mes patients et aux lecteurs, ce que PGX[MD] fait pour offrir des résultats aussi exceptionnels et comment. Ma première préoccupation, bien sûr, se porta sur sa fiabilité. Ce que j'ai découvert et ce qui m'a le plus marqué, c'est le fait que PGX[MD] n'est pas un coupe-faim. Toutefois, il semble avoir la capacité d'ajuster et de corriger l'appétit. Cela m'a conduit à vouloir en savoir plus sur l'ingrédient actif de PGX[MD].

PGX[MD] est un acronyme pour PolyGlycopleX[MD]. C'est un mélange tout à fait unique de polysaccharides hydrosolubles hautement purifiés dérivés de fibres de plantes naturelles. PGX[MD] est le résultat de nombreuses années de recherches cliniques et scientifiques menées par Inovobiologic et en collaboration avec le Centre canadien de médecine fonctionnelle, des universités et des organisations de recherche du monde entier.

La recherche médicale nous a appris que les fibres sont très importantes pour avoir un régime sain et nous verrons pourquoi en détail plus tard dans ce livre. Ce que je peux vous dire présentement, en tant qu'introduction de PGX^MD, c'est que si un bol de gruau est sain, et nous savons que ça l'est, alors imaginez-vous ce que *quatre bols de son de gruau* peuvent faire à votre digestion, vos niveaux d'insulines et votre pression artérielle (pour nommer seulement trois facteurs santés majeures et trop souvent négligés). Une simple dose de PGX^MD offre un grand nombre de fibre tout en étant bien toléré quand il est pris au cours des repas.

Parce que PGX^MD est une fibre hydrosoluble qui augmente substantiellement le potentiel volumétrique, il a un impact considérable sur la consommation alimentaire. Il se réparti doucement et agréablement dans votre estomac tout en induisant une sensation de satiété. (C'est la raison pour laquelle j'ai dû commencer par commander une salade au lieu d'un grand plat principal). De plus, PGX^MD s'installe en douceur et pendant des heures dans votre système digestif tout en continuant de vous procurer une sensation de satiété qui supprime l'envie de grignoter.

C'est grâce au grand pouvoir adhérant de cette fibre que votre niveau de sucre dans le sang se stabilise. PGX^MD est une véritable innovation. En effet, les scientifiques ont compris que les fluctuations anarchiques du taux de sucre dans le sang expliquent en grande partie le surpoids et la difficulté à le perdre.

Après des années de recherches cliniques menées par des milliers de participants, des chercheurs tels que le Dr. Michael Lyon, auteur de *Hunger-Free Forever*, nous avons appris que lorsque le taux de sucre dans le sang chute, votre cerveau envoi de puissants signaux vous incitant à MANGER. Cela vous pousse à grignoter sans pouvoir vraiment contrôler cette envie. Pourquoi ? Le cerveau régule deux fonctions primaires par minute : l'oxygène et le taux de sucre dans le sang. Quand l'un des deux se met à chuter trop vite, votre cerveau ressent un danger et réagit. Autrement dit, lorsque votre taux de sucre dans le sang chute, votre cerveau exige à votre corps de manger.

On m'a expliqué qu'il est normal que le taux de sucre dans le sang augmente et descend, mais que des changements rapides peuvent être dangereux et provoquer une demande d'aliments riches en sucre et en féculent même si l'on sait pertinemment qu'on ne devrait pas avoir faim. Ce besoin immédiat de manger pour encourager notre taux de sucre dans le sang à la hausse explique pourquoi nous ne cherchons pas à manger du céleri quand notre taux de sucre dans le sang est faible : le céleri est un aliment riche en fibre qui prend du temps à être transformé par notre organisme. À la place, nous recherchons des aliments faciles à digérer tels que les « vices alimentaires » riches en sucre, en graisse et en féculent pour faire remonter rapidement notre taux de sucre dans le sang. Le Dr. Lyon et d'autres chercheurs ont observé que ces déclencheurs de « vices alimentaires » répètent un cercle de la faim : s'alimenter avec des aliments malsains entraînent une augmentation du taux de sucre dans le sang, suivit par une rechute précipitée qui crée une nouvelle sensation de faim. Ce cycle se répète sans fin, jour après jour. Le Dr. Lyon m'a dit que pour le cerveau, ce phénomène s'apparente à une addiction aux « montagnes russes » même si elles sont déplaisantes. Pour ceux qui sont bloqués toute leur vie, il est extrêmement difficile, parfois même impossible de contrôler sa faim et de manger sainement.

Une glycémie instable entraîne également une perte de sensibilité à l'insuline. C'est un facteur de risque favorable au développement de certaines maladies. Selon les termes de Layman c'est le pond qui mène les personnes obèses à un diagnostique lié au diabète, un problème de santé en ascendance dans les pays développés. À chaque fois que notre organisme détecte trop de sucre dans la circulation sanguine, il pompe de l'insuline en faisant travailler le pancréas et demande progressivement à l'organe de contrecarrer les effets nocifs du sucre. PGX[MD] interrompt ce cycle en gardant la nourriture dans le système digestif plus longtemps. Aussi, il aide le pancréas à moins travailler et au final exige moins d'insuline pour combattre le sucre.

Bien sûr, j'ai dû faire une demande d'analyse pour pouvoir évaluer mon taux glycémique. Je suis donc allée à la clinique du Dr. Lyon pour vérifier ce qu'il en était et j'ai dû porter un dispositif de haute technologie jour et nuit (il l'a appellé le *Continous Glucose Monitoring System.*) Heureusement, ma glycémie n'était pas semblable au modèle des « montagnes russes » qui fait tant de ravage. Il est donc clair que *La diète coupe-tentations* m'a fait beaucoup de bien ! Mais je ne mérite pas tous les applaudissements. Ma glycémie était aussi due à l'efficacité de PGX^MD parce que j'en avais consommé à chaque repas pendant des semaines avant de faire ce test.

Avant que PGX^MD n'apparaisse, je n'aurais pas pu maîtriser ces sensations de faim anarchiques et ma glycémie grâce à la consommation exclusive de fibre (et vous pouvez imaginer comment ça pourrait être fastidieux). Heureusement, les personnes qui ont mis au point PGX^MD ont développé un processus unique qui permet de concentrer les bienfaits de ses fibres sous diverses formes. PGX^MD se présente en gélule, sous forme de poudre sans arôme à ajouter à la nourriture ou à consommer sous forme de flocon naturellement bon. Des études montrent qu'il est bien toléré par la plupart des gens. Cependant, certaines personnes pourraient devoir commencer par de petites doses et les augmenter progressivement jusqu'à atteindre la dose souhaitée. Vous pouvez lire les recettes qui incorporent le PGX^MD sous sa forme granuleuse sans arôme à la page 210 de ce livre.

Est-ce que *La diète coupe-tentations* ***exige** que* vous ajoutiez du PGX^MD à votre régime alimentaire ?

Absolument pas. Avant que PGX^MD n'existe, des milliers de personnes, ainsi que moi-même, avons suivi ce programme minceur et avons réussi à améliorer notre santé. Pourtant, j'utilise dorénavant PGX^MD et je le recommande vivement à mes clients et mes amis à chaque fois que l'occasion se présente. Alors, pourquoi pas avec vous aussi ?

Chapitre 5

Le programme de la diète coupe-tentations **Pour commencer !** Semaines 1 à 3

Ma garantie

Avant que nous ne commencions, je souhaiterais vous donner au moins une garantie qui vous montre que les dollars et le temps dépensés dans cette diète ne sont pas seulement un investissement. Je veux que vous sachiez que je suis à vos côtés dans ce voyage. Si vous faites l'effort de suivre ce programme de douze semaines, je suis persuadée que vous réussirez. Si vous avez besoin de soutien et d'encouragement, vous pouvez me contacter. Une personne ayant réussi ce programme sera en mesure de vous répondre et d'essayer de vous aider à relever vos défis ou de régler vos problèmes. Je vous garantie que nous serons présents et nous vous aiderons à avancer. Aussi, ne soyez pas effrayé de demander de l'aide à ces personnes ou à moi-même et laissez-nous soutenir vos efforts. Décrochez le téléphone, vous n'êtes pas seul ! Visitez *www.pgx.com* et envoyez-moi un courrier électronique.

Votre promesse

Maintenant que je vous ai fait une promesse, c'est à votre tour d'en faire une (pour vous-même et non pas pour moi).Vous devez promettre de garder une certaine ouverture d'esprit. Je sais que cela peut paraître facile à dire, mais faites-moi confiance. Dans ce programme, les choses seront simples et faisables. Vous voyez, je ne prends pas les changements à la légère. Le changement, c'est la chose la plus dure à laquelle nous faisons face, et plus nous vieillissons plus cela devient difficile. Souvent, nous nous confortons facilement dans nos routines, dans nos habitudes et dans notre agenda, car nous n'avons pas à trop y penser. C'est la raison pour laquelle nous les aimons : plus nous les répétons, plus cela devient facile. Aussi, une partie de votre promesse tient au fait que dans les heures, jours, mois qui vont venir, il y aura du changement dans votre vie. Assurez-moi que vous allez persévérer dans ces changements simples et, vous verrez, les résultats seront surprenants !

Maintenant que vous allez débuter pas à pas, commençons par comprendre un des attributs dont vous êtes doté et qui peut soit vous faire réussir, soit vous faire échouer : votre état d'esprit. Votre façon de penser doit changer au fur et à mesure que votre physique change. Tout doit se faire progressivement. Changer (ou essayer de changer) d'opinion trop vite vous surmènera et « vous jetterez l'éponge ». J'ai appris qu'il y a plus de chance de réussir une diète lorsqu'on fait les choses progressivement.

La même chose est vraie pour l'état d'esprit. Changer votre façon de penser, vos habitudes, vos croyances (à l'égard des boissons gazeuses, des plats rapides ou de la télévision) prendra du temps. Ici, je vous donne les informations, les statistiques et le programme qui a fonctionné pour beaucoup de personnes. Selon ce que vous faites ou qui vous êtes, je vous laisse déterminer si ce programme marche aussi pour vous.

Affirmations pour développer une attitude positive.

L'attitude est un facteur clé pour pouvoir réussir. Il n'y a rien qui remplace une attitude positive. Un sportif doté des meilleurs talents du monde ne changera pas l'esprit de son entraîneur s'il est grincheux, égoïste et asocial vis-à-vis de l'équipe. Pour se construire une attitude positive, il n'y a qu'une seule action qui puisse venir renforcer votre force mentale : l'utilisation d'affirmations positives.

On trouve beaucoup de livres qui traitent de l'affirmation positive et de la façon de penser positive. On peut citer les auteurs suivants : Dr. Norman Vincent Peale, Zig Ziglar, Mark Victor Hansen, Tony Robbins et Napoléon Hill. Tous répètent le même principe : *pour améliorer votre attitude, il vous faut positiver plus souvent.* Je recommande d'utiliser des affirmations positives quotidiennement. Lisez-les après votre réveil et avant de vous coucher. Cela vous prendra seulement trente secondes par jour (au total), pas plus ! Tout ça pour être plus confiant, plus heureux, plus excité, plus passionné, et (plus) enthousiaste dans la vie ! Bien que vous puissiez les formuler vous-même ou avoir recours à un spécialiste, je vous propose les affirmations suivantes. (Je vous recommanderais *grandement* de lire *Comment utiliser les pouvoirs du subconscient* par Dr. Joseph Murphy).

Affirmation positive quotidienne

J'ai hautement confiance en mes capacités et en moi-même. Je suis reconnaissant(e) pour toutes les opportunités que chaque jour nous donne. J'accueille la santé optimale dans ma vie !

Si vous n'avez jamais utilisé les affirmations positives, vous penserez peut-être qu'elles n'ont pas de buts. S'il vous plaît, faites preuve d'ouverture d'esprit. Cela vous permettra au final d'être plus confiant, de renforcer vos croyances et votre niveau de santé global. En formulant ces affirmations, vous programmerez votre subconscient de telle manière qu'il croira que les désirs de votre conscience sont dirigés vers la santé. Cette petite dose de pensées positives quotidienne va forger votre esprit de la même façon que l'étirement façonne votre muscle. Atteindre un grand but exige de surmonter ses doutes, ses pensées négatives, mais aussi surpasser le ridicule et la tentation, qui sont en général le fruit de votre propre imagination. Faites-en ainsi tous les jours et vous aurez la force nécessaire pour dépasser ces obstacles et enfin vivre une vie saine et mince.

En vous lançant dans le programme présenté dans les pages suivantes, souvenez-vous que vous n'allez pas le mettre à exécution en un seul jour. N'hésitez pas à lire le livre en entier pour savoir ce qu'il se prépare dans les semaines à venir, mais à la fin du programme, revenez à la première page et suivez le jour après jour, semaine après semaine.

Vous devriez avoir dorénavant une bonne idée de ce qui vous empêche de perdre du poids. Ce sont les choses que vous devez maîtriser. Ce sont ces choses que vous devez comprendre et éliminer. Rappelez-vous que la clé du succès n'est pas de suivre le bon régime alimentaire, mais plutôt de se débarrasser de celui qui est mauvais.

La **promesse** que je me suis faite

Je promets de me débarrasser de mes vices, un par un.

Je promets de formuler mes affirmations quotidiennement

Je promets de me pardonner mes « échecs diététiques » passés et je réalise qu'ils n'ont aucun d'effet sur mon avenir.

Je promets de faire l'inventaire de toutes mes qualités et d'y penser souvent, surtout quand je suis tenté(e) par mes vices.

Je promets de me donner le temps nécessaire pour changer mes habitudes de vie malsaine et de ne pas me fixer des objectifs irréalisables.

Signer:______________________________

Date: _________________

Semaine 1 : Éliminer les boissons gazeuses

JOUR 1

Action> Ajouter de l'eau.

Commençons d'abord par se demander ce que l'on peut substituer aux boissons gazeuses et aux autres boissons riches en sucre et en calories que vous consommez peut-être régulièrement. Votre première action sera une habitude saine qui changera considérablement votre vie au fil du temps : **faire de l'eau l'élément essentiel de votre vie quotidienne**.

Substituer les liquides caloriques (contenant des sucres raffinés) pour de l'eau vous procurera zéro calorie, une hydratation adéquate, des fonctions corporelles optimales et une meilleure concentration. Vous remplacerez les toxines par des fluides sains et propres, la paresse avec plus d'énergie, des boissons onéreuses par de l'eau gratuite ou bon marché. Enfin, le temps que vous passez à acheter des boissons malsaines pourra être mieux utilisé.

Consommation d'eau adéquate

Je suis prête à parier que vous ne buvez pas assez d'eau. Il y a de nombreux avantages à faire de l'eau un composant essentiel de votre vie quotidienne. Un exemple est son action *coupe-faim*. La première étape est d'augmenter votre consommation d'eau quotidienne à un niveau adéquat.

Selon le Dr. Batmanghelidj, auteur de « *Votre corps réclame de l'eau* », l'eau peut agir comme un coupe-faim efficace. Dr. B recommande de boire deux verres de 8 onces d'eau toutes les vingt ou trente minutes avant de s'attabler. Cela laissera le temps pour que l'eau s'installe dans votre estomac et vous donne une sensation de satiété partielle. Ensuite, vous ne sentirez pas le besoin de manger vite, et si c'est le cas, vous vous sentirez rassasié plus vite. Il est opportun de savoir aussi que parfois, la sensation de faim n'est en faite qu'un besoin d'eau. Aussi, si vous essayez de boire de l'eau quand vous avez la sensation d'avoir faim, vous supprimerez soit votre appétit, soit votre soif. Dans tous les cas, vous ne sentirez pas le besoin de vous nourrir pour être rassasié.

Les bienfaits de l'eau sur la santé

Si vous avez des problèmes d'articulation, c'est qu'il se peut que vous n'ayez pas été suffisamment hydraté depuis plusieurs mois, voire des années. Certaines personnes souffrant d'arthrose peuvent avoir des symptômes plus sévères dus au fait qu'ils ne consomment pas assez d'eau.

L'eau a beaucoup d'autres fonctions essentielles :

- Distribue les nutriments dans l'organisme.
- Lubrifie les articulations.
- Aide à réguler la température du corps.
- Rejette les déchets par les urines.
- Agit comme un solvant pour dissoudre et distribuer de nombreuses substances (telles que les minéraux, les protéines, les glucides et les vitamines).

Le manque d'eau peut-il ralentir votre digestion ? Il a été suggéré que nous sommes beaucoup à avoir des déchets indigestes dans notre côlon. En consommant beaucoup d'aliments frits, huileux et gras, sans boire une quantité d'eau adéquate, il est normal que les déchets logés dans notre système digestif s'accumulent. L'eau nous hydrate et aide notre organisme à fonctionner normalement. Si vous consommez déjà du PGX[MD], il est évident qu'il faut boire de l'eau. Assurer-vous d'en boire assez pour profiter pleinement des avantages de cette fibre-santé.

Éliminer les boissons malsaines

En buvant une quantité adéquate d'eau chaque jour, vous n'aurez pas d'autres choix que de vous débarrasser de ces boissons riches en calories et en sucre. C'est le principe d'une pierre deux coups : donner à votre organisme ce qu'il lui a manqué (l'eau) et vous débarrasser de ce que votre organisme ne souhaite pas garder (les boissons riches en calories). Les sodas ne sont pas les seules boissons à contenir énormément de sucre. Lisez attentivement la liste des boissons que vous buvez fréquemment :

- Capri Sun – la plupart des variétés
- Dr. Pepper
- Punch Hawaïen *(et la plupart des punch)*
- Limonade
- Lait-frappé, Slurpees, smoothies à haute teneur en sucre
- Thé glacé, sucré
- Jus d'orange ou jus de raisin
- Café moka, café caramel machiatto *(et la plupart des boissons caféinées gourmets, chaudes ou froides)*
- Coka, Pepsi
- Soda racinette
- Seven-up, Sprite, Mountain Dew
- Gatorade, Red Bull et d'autres boissons « énergisantes »
- Snapple
- Jus de pomme
- Lait au chocolat, lait entier concentré
- Vin, bière, alcool (beaucoup trop)

La consommation quotidienne d'eau plate devrait atteindre 90 % des liquides ingérés. Cette liste contient toutes les boissons qui vous empêchent d'atteindre cette ration.

Si vous consommez actuellement ces boissons riches en sucre, en faisant l'effort d'inclure l'eau dans votre régime, vous serez obligé de remplacer ces boissons par de l'eau.

Se lancer

Procurez-vous quelques bouteilles d'eau de 16 onces, préférablement celles qui sont faciles à boire avec le bouchon sport. Achetez-en par paquet de 12 si vous le pouvez. Aujourd'hui et à partir de ce jour, je souhaite que vous ayez toujours une bouteille d'eau sur vous lorsque vous quittez la maison. Ne pensez à rien d'autre pour le moment. Autrement dit, ne pensez pas ni à ce que vous mangez ni à l'exercice physique que vous faites. Nous y reviendront plus tard. Pour l'instant, boire de l'eau est la meilleure chose que vous puissiez faire dans votre vie pour améliorer votre état de santé et votre poids. Aujourd'hui, vous devez seulement vous assurer que votre réserve de bouteilles d'eau est adéquate et que vous avez toujours à portée de main une bouteille d'eau, que ce soit dans votre chambre, au bureau ou n'importe quel endroit où vous allez.

affirmation positive quotidienne

J'ai hautement confiance en mes capacités et en moi-même. Je suis reconnaissant(e) pour toutes les opportunités que chaque jour nous donne. J'accueille la santé optimale dans ma vie !

JOUR 2

Action> Développer l'habitude d'avoir tout le temps une bouteille d'eau sur soi.

Maintenant que vous avez pris la première mesure nécessaire pour éliminer votre vice diététique en le remplaçant par de l'eau, il est important que vous estimiez combien il vous en faut. Bien que les besoins de chacun soit différents, la formule suivante donne une estimation générale de la quantité d'eau que nous devrions consommer :

Votre poids corporel (en livre) ÷ 2 =
poids d'eau en once visé par jour

Dr. Batmanghelidj explique que la moitié de votre poids corporel en once est un bon point de départ pour déterminer vos besoins quotidiens. Mon poids est de 155 livres, j'ai donc besoin approximativement d'entre 75 et 80 onces par jour. Beaucoup d'entre vous n'aimez peut-être pas l'eau. Selon mon expérience, si vous êtes l'un de ces gens qui n'aiment pas l'eau, il est possible que vous ayez consommé sur une longue période, trop de boissons riches en sucre et en calories (c.-à-d. des boissons gazeuses). Donc, commencez doucement. Essayez un verre d'eau à la place d'un soda. Vous mettrez peut-être du temps pour développer votre goût pour l'eau mais cela en vaut la peine.

Créer une habitude positive

Si vous êtes soucieux de ne pas réussir à boire la quantité d'eau recommandée selon votre poids, ne vous inquiétez pas pour l'instant. Une fois encore, buvez toujours plus que la veille et concentrez-vous uniquement sur ça. Fixez-vous un but, par exemple, 64 onces par jour avant de vous soucier de boire la quantité recommandée. Si vous arrivez à boire ne serait-ce que la moitié, je suis certaine que vous ressentirez suffisamment les bienfaits pour soit vouloir continuer, soit vouloir augmenter la quantité consommée. Travaillez déjà à atteindre ces 64 onces quotidiennes, puis évaluez comment vous vous sentez et, après, décidez s'il vous faut continuer et/ou si vous pouvez continuer.

Ce qu'il y a d'important au travers de cette action, **c'est de développer l'habitude** d'avoir toujours une bouteille d'eau à portée de main, peu importe où vous allez, et de boire régulièrement.

affirmation positive quotidienne

J'ai hautement confiance en mes capacités et en moi-même. Je suis reconnaissant(e) pour toutes les opportunités que chaque jour nous donne. J'accueille la santé optimale dans ma vie !

JOUR 3

Action> Continuer à développer l'habitude d'avoir de l'eau à portée de main et en boire souvent.

Il nous arrive souvent de nous lancer dans quelque chose de nouveau, puis de faire marche arrière peut de temps après. Vous pourriez être excité à l'idée de faire des progrès et de réussir grâce à ce programme et son approche étape par étape. À ce stade, cela pourrait vous donner l'envie d'avancer à grand pas et d'en faire trop et trop vite. Ou sinon, vous pourriez tout aussi bien vous laisser aller parce que vous vous rendez compte de la simplicité de ce programme, ce qui vous donne l'impression que vous pouvez le faire n'importe quand. Une façon de vous faire rester dans la course, c'est de visualiser concrètement et avec certitude votre objectif.

Visualiser vos objectifs : santé et remise en forme

Je vous recommande de visualiser ce que vous souhaiteriez faire une fois votre niveau de santé et de forme physique atteints. Vous avez probablement une idée générale sur l'apparence ou l'énergie que vous aimeriez avoir. Si vous pouvez décrire clairement vos objectifs et vos souhaits, vous avez une plus grande chance de les réaliser. Par exemple, pourquoi voulez-vous être plus séduisant ? Est-ce que c'est pour que votre époux ou épouse, votre copain ou copine soit plus attiré(e) par vous ? Si vous êtes célibataire, est-ce pour attirer l'un de ces trois derniers ? Ou, peut-être avez-vous l'impression que vous pourriez attirer plus l'attention et le respect des gens qui vous entourent pour quelque chose de plus important que votre bonne sympathie ? Ou, est-ce pour avoir plus d'énergie ? Si c'était bien le cas, est-ce que vous travailleriez plus, joueriez plus, voyageriez plus et dormiriez moins ? Qu'est-ce que vous gagneriez plus du travail et qu'est-ce que cela ferez pour vous ou pour quelqu'un d'autre ? À quelle sorte de jeu souhaiteriez-vous jouer et auquel vous ne jouez pas en ce moment ? Souhaitez-vous jouer avec vos enfants ou petits-enfants ? Peut-être que vous souhaiteriez jouer au tennis ou au racquetball ou aller skier. Peut-être même escalader le mont Everest ? Est-ce que vous aimeriez voyager en Europe, en Australie ou au pole nord ?

Une journée contient des possibilités infinies et un nombre de temps limité. Imaginer ce qui est possible peut vous aider à rester dans le droit chemin. Visualisez ce que vous pourriez faire avec plus d'énergie, quel serait votre apparence, quels vêtements vous pourriez acheter ou bien même comment vous pourriez vous sentir en vous réveillant chaque matin. La clé est de trouver ce qui vous motivera et de vous demander « Pourquoi veux-je cela ? » ou « Qu'est-ce que je ferais si... ? » Vous vous découvrirez non seulement des ambitions cachées, mais aussi que votre surpoids était une excuse pour ne pas les atteindre.

Arrêtez d'attendre ! Commencez à visualiser l'avenir, ce que vous allez faire et comment vous vous sentirez, et pas seulement votre apparence. Imaginez-vous faire ce que vous faites ou souhaiteriez faire et où et avec qui vous aimeriez le faire. On n'a pas besoin d'avoir le poids et le corps parfaits pour commencer à visualiser les gens, les choses et les événements que l'on veut voir apparaître dans sa vie.

Faire l'inventaire

Une des choses que je souhaiterais que vous fassiez aujourd'hui, c'est faire l'inventaire de toutes les boissons gazeuses, sodas, jus ou toute autre boisson riche en calories présentes dans votre maison et qu'il vous faut éliminer. Je vous encourage à les jeter. (Si vous en avez qui sont rangées dans une commode ou un bar et que vous les utilisiez pour faire des cocktails, vous pouvez les garder.) Sinon, débarrassez-vous de ces calories vides. Pensez que vous mettez à la poubelle votre mauvaise santé. Si le gâchis vous gène, faites-en don à une association d'aide aux sans abris ou à une banque alimentaire.

Commencez par jeter les boissons gazeuses, puis réduisez doucement votre consommation de jus de fruit. Dès que vous aurez fini de consommer les jus qui vous restent, n'en achetez plus. Si vous avez envie d'un petit jus, prenez plutôt du jus d'orange, de raisin, de pomme ou d'un autre fruit, et à condition qu'il soit frais. Ne consommez jamais de jus de fruit **concentré**.

Rappelez-vous de remplacer le soda et les jus par de l'eau.

Un dernier mot sur les boissons alcoolisées : le vin et la bière contiennent beaucoup de sucre et ils ont autant de calories que les boissons sucrées typiques. Leur consommation doit aussi être limitée.

---

affirmation positive quotidienne

J'ai hautement confiance en mes capacités et en moi-même. Je suis reconnaissant(e) pour toutes les opportunités que chaque jour nous donne. J'accueille la santé optimale dans ma vie !

JOUR 4

Action> Continuer à développer l'habitude d'avoir toujours une bouteille d'eau sur vous ou à portée de main, et en boire beaucoup pendant la journée. Choisir l'eau aux autres boissons.

Est-ce que vous avez trouvé difficile d'arrêter de boire des boissons riches en calories ? Prenez un temps de repos et pensez à votre corps : quel regard lui portez-vous ? Comment vous sentez-vous dans ce corps et dans quelles conditions est votre corps ? Rappelez-vous que vous faites des changements qui auront un effet bénéfique sur votre corps.

On considère souvent les choses qui sont attendues de nous comme des choses qui vont de soi, tel que se laver les dents, prendre un bain, payer les impôts, etc. Quand on essai de perdre du poids, il arrive trop souvent qu'on doive se faire tirer, pousser et crier dessus pour faire ce qui est bon pour nous. Notre résistance vient du fait que l'on nous impose un changement radical de notre mode de vie et de notre façon de manger et que l'on nous impose de nous conformer aux aliments préparés et à des suppléments alimentaires onéreux. L'eau est la plupart du temps gratuite. En boire régulièrement est l'une des actions les plus importantes qui vous permettront de regagner votre santé. Donc, continuez à faire en sorte que vous ayez de l'eau à portée de main et d'en boire régulièrement.

Éliminer les dépendances

Pendant que vous vous trouvez dans cette phase de transition vers une consommation plus importante d'eau, vous découvrirez peut-être le caractère dépendant des boissons gazeuses ou sucrées. Vous découvrirez que ces doses de caféines et de sucres avaient créé une dépendance qui vous encourageait à consommer ces boissons au cours de la journée. Attention aux mauvaises habitudes qui mènent aux addictions. Lorsque vous vous arrêtez pour faire le plein de carburant en route pour votre travail, est-ce que vous en profitez aussi pour acheter une petite boisson gazeuse ? Est-ce que la machine à soda du hall est devenue une addiction à votre travail ? La plupart des gens avec qui j'ai parlé m'ont dit prendre ces mauvaises habitudes sans même s'en rendre compte. Ici, nous utilisons la même technique en vous faisant prendre l'habitude saine de boire de l'eau au quotidien.

Changer sa façon de penser

La perte de poids a longtemps était considérée comme un processus à une dimension. Les gourous de la diète discutent de la variété de ce que nous mangeons, comment nous mangeons, quand manger, quel exercice physique il nous faut faire et comment et à quel moment il nous faut le faire pour que le programme paraisse complet. Ce qui a été oublié dans cette équation c'est VOUS ! Les diètes n'incluent pas tous les aspects de *votre* vie lorsqu'elles considèrent ce qui doit être fait pour perdre du poids, être en bonne santé et en bonne forme physique. Votre esprit est un aspect de vous qui doit être pris en compte.

Vous devez changer votre façon de penser sur la perte de poids, la bonne condition physique et la santé. Chaque décision prise va automatiquement jouer sur votre santé. Le travail que vous avez, le nombre d'enfants que vous avez, la quantité d'eau que vous buvez, la quantité d'aliments gras que vous mangez, la vitesse à laquelle vous conduisez votre voiture, tout ça peut avoir un impact sur votre santé qui inclut votre niveau de stress et d'énergie et, bien sûr, votre poids aussi. Par conséquent, il est important que vous vous rendiez compte que tout ce que vous faites a un impact sur votre santé. Nous en sommes au stade qui exige non seulement de changer sa façon de penser la perte de poids, mais aussi de changer sa façon de penser sur sa santé globale. Lorsque vous changerez votre état d'esprit en passant de « j'ai besoin de perdre du poids » à « Il faut que je sois en bonne santé et en pleine forme physique », vous ferez alors un grand pas en direction *d'un mode de vie sain et d'une bonne condition physique.*

Ne pensez pas que vous devez être un buveur d'eau à temps partiel, cela jusqu'à ce que vous alliez au travail ou pendant que vous êtes en vacances avec votre famille. Personne ne peut réussir à long terme en faisant des choix à temps partiel. **Votre santé est un travail à plein temps**. Cela ne signifie pas que vous êtes constamment obligé de prendre des mesures dans ce sens pour améliorer votre santé. Cela veut plutôt dire que lorsque vous n'en prenez pas, vous n'en prenez pas qui soient malsaines. Quand vous ne buvez pas d'eau (ou, pour plus tard, ne mangez pas sainement ou ne faites pas de l'exercice physique), vous ne pouvez pas être quelqu'un de sain lorsque vous mangez des beignets, des plats minute ou vous buvez des sodas.

La santé, c'est un peu le jeu du tout ou rien. Si vous voulez vivre avec modération, soit. Mais attendez de maîtriser le programme de la diète coupe-tentations avant d'essayer de mettre en pratique la modération. Sinon, vous ne saurez jamais si c'est vous qui contrôlez votre consommation alimentaire ou si c'est elle qui vous contrôle ! Pour l'instant, concentrez-vous sur le développement de cette maîtrise qu'il est important d'acquérir. Plus tard, vous pourrez décider de vous autoriser à réintroduire quelques-uns de ces vices alimentaires dans votre mode de vie.

Ce programme est fait pour être facile. Cependant, ne pensez pas qu'il ne doit pas être pris au sérieux. Pour le réussir, le maîtriser et regagner la santé, il vous faudra construire des bases solides pour que chacune de vos journées soit marquée par davantage d'actions dirigées vers un mode de vie sain et des pratiques alimentaires saines. Idéalement, toutes les dimensions de votre vie deviendront saines, vous vivrez sainement à long terme et partout où vous irez.

affirmation positive quotidienne

J'ai hautement confiance en mes capacités et en moi-même. Je suis reconnaissant(e) pour toutes les opportunités que chaque jour nous donne. J'accueille la santé optimale dans ma vie !

JOUR 5

Action> Continuer à développer l'habitude d'avoir toujours une bouteille d'eau sur vous ou à portée de main et en boire beaucoup pendant la journée. Choisir l'eau aux autres boissons.

Maintenant que vous débutez cette cinquième journée et que vous continuez à nettoyer votre organisme avec toujours plus d'eau et de moins en moins de boissons malsaines, vous devriez avoir gagné en énergie et avoir peut-être même perdu du poids. C'est incroyable ce qu'on peut faire grâce à cette simple action. Mais, comme pour tout, cela prend du temps. Votre corps va commencer à faire son travail, c'est-à-dire, devenir un système énergétique et en santé qui fonctionne efficacement.

Surmonter les blocages psychiques

Parce que vous venez tout juste de prendre le chemin qui mène à l'amélioration de votre forme physique et de votre état de santé, vous avez de nombreux obstacles à surmonter. Le doute sur la faisabilité de ce programme est probablement le premier à surmonter. Étant donné que ce programme vous concerne et est ce dont vous avez besoin pour perdre du poids et pour regagner la santé, le premier blocage psychique commence au moment où vous pensez que ce programme minceur ne pourra pas vous aider à atteindre la perte de poids désirée. Si vous êtes comme moi quand j'avais 130 livres de plus, vous êtes pressés de penser que la dernière diète à la mode est la diète à suivre. Non seulement parce que vous pensez qu'elle marchera, mais surtout parce que tous les autres la font, donc c'est qu'elle doit forcément marcher ! Au-delà de ça, il existe plein d'autres blocages psychiques que j'ai moi-même eus lorsque j'ai tenté de perdre du poids, et que d'autres personnes ont également eus.

Un des blocages est de ne pas croire en soi. Une des raisons pour laquelle il est important de pratiquer l'exercice de visualisation que j'ai indiqué au Jour 3, c'est que vous pouvez ainsi commencer à vous voir comme une autre personne. Une personne sans surpoids. Peut-être parce ce que vous avez eu beaucoup d'échecs auparavant, vous ne pensez pas vraiment pouvoir mincir. Vous pouvez essayer la dernière diète et acheter plein de produits aux promesses incroyables, et pourtant je suis inconsciemment persuadée que vous croyez que vous serez toujours dans le même état d'ici trois mois et possiblement dans trois ans à compter de maintenant. Changer, c'est modifier la direction vers laquelle vous vous orientez. Cela exige que vous commenciez à vous imaginer différemment dans des semaines, des ans à venir. Se lancer dans la dernière diète du moment ne fait pas de vous quelqu'un qui essaie continuellement de perdre du poids et vous ne pouvez donc simplement pas réussir. Vous devenez quelqu'un qui est toujours à la diète.

Vous devez commencer par décider si vous voulez vraiment être en santé et en meilleure forme physique. En décidant de suivre le programme de la diète coupe-tentations, vous vous apporterez la force, la motivation et la détermination nécessaire pour réussir.

Le blocage psychique courant très différent et dont la plupart des gens ne sont peut-être même pas au courant est l'auto-sabotage. C'est agir délibérément pour provoquer l'échec. Beaucoup de choses qui vous sont arrivées dans le passé, récent ou éloigné, pourraient vous empêcher de réussir et contribuer au désir d'échec.

Un autre blocage psychique est celui lié aux personnes en surpoids qui font partie de votre entourage. À la demande de sa mère, j'ai aidé une jeune femme qui voulait absolument perdre du poids. Elle pensait avoir gâché une grande partie de son adolescence et voulait profiter de sa vingtaine. Après quelques journées passées avec elle, j'ai découvert quelque chose à propos de sa mère. Il a donc fallu changer la stratégie. En effet, sa mère souffrait tout comme sa fille d'un surpoids de 100 livres. En discutant, nous avons toutes les deux appris qu'elle (la fille) craignait que sa mère ne se vexe si elle perdait du poids. Elles étaient vraiment proches. Par la suite, nous avons appris que sa mère avait évité de perdre du poids de peur de rompre un lien important avec sa fille. Au final, l'essentiel était que la mère et la fille avaient ensemble besoin de prendre des mesures pour perdre du poids et de savoir qu'elles le faisaient toutes les deux pour de bonnes raisons.

Ce que je veux dire ici, c'est que vous ne devez pas laisser votre passé, les opinions des autres ou votre situation familiale se mettre en travers de vos objectifs-minceur et d'une meilleure santé. Il est important de prendre le temps nécessaire pour comprendre ce qui peut causer vos blocages ou vos barrières psychiques et d'identifier toutes les choses qui peuvent vous bloquer.

Il vous faut donc, aujourd'hui, renforcer vos conditions mentales et vous préparer à ce qui vous attend. Vous pourriez trouver que vos problèmes émotionnels ont sabotés vos efforts. Identifiez-les. Nommez-les. Exprimez-les. La première étape pour régler les problèmes émotionnels passés qui ont créé vos vices diététiques est de les estimer, puis d'en discuter avec les personnes concernées, ou de les faire disparaître en parlant avec quelqu'un qui les comprend et qui puisse établir un lien. Vous pouvez aussi suivre une thérapie si ces problèmes vous tracassent. Néanmoins, quoique vous fassiez, assurez-vous d'avoir toujours une bouteille d'eau avec vous et de boire plein d'eau tous les jours !

---

affirmation positive quotidienne

J'ai hautement confiance en mes capacités et en moi-même. Je suis reconnaissant(e) pour toutes les opportunités que chaque jour nous donne. J'accueille la santé optimale dans ma vie !

JOUR 6

Action> Continuer à développer l'habitude d'avoir toujours une bouteille d'eau sur vous ou à portée de main et en boire beaucoup pendant la journée. Choisir l'eau aux autres boissons.

Maintenant que vous avez progressé dans votre élimination des boissons gazeuses et d'autres breuvages riches en calories, faisons une évaluation rapide de ce que vous ressentez. À ce stade, la plupart des personnes qui ont partagé leurs progrès ont affirmé avoir obtenu de nombreux avantages. Cela, même après cinq jours !

La première fois que Melinda m'a contacté, elle voulait perdre 100 livres. Il lui a fallu trois semaines afin d'atteindre la consommation d'eau optimale recommandée, mais elle a eu deux effets positifs grâce à cela. Après seulement cinq jours, elle a noté qu'elle avait plus d'énergie et était bien moins fatiguée comparé au temps où elle buvait des sodas. Le deuxième avantage, c'est que son appétit s'était réduit. Elle avait dorénavant moins envie de grignoter dans sa voiture.

Elle avait de très bons résultats, surtout si vous considérez que le seul changement effectué à ce stade du programme était de boire de l'eau plus souvent. Ses résultats ne sont pas inhabituels. Pourtant, à chaque fois que je me souviens des témoignages passés, je me dis que les résultats obtenus aurait été stupéfiants si ces personnes avaient pu ajouter du PGX^MD^. à leur arsenal de coupe-tentations. Heureusement, vous avez la *chance* de l'avoir ! Si vous le souhaitez, vous pouvez encore attendre un peu avant d'introduire cette fibre naturelle à votre routine, mais n'attendez pas trop longtemps. Comme vous le verrez, je recommande qu'il fasse partie de votre boîte à outils dès la semaine 6.

Augmenter votre engagement

Comme toutes les choses qui sont avantageuses, vous engager à boire beaucoup d'eau au quotidien doit être suffisamment important pour que cela mérite une réflexion et une organisation de votre part. Vous pouvez prendre des mesures pour faire en sorte que l'eau soit facile d'accès pour vous et les autres pendant plusieurs jours. La première mesure, et nous en avons déjà discuté, c'est de vous assurer de ne jamais manquer de bouteille d'eau. Munissez-vous préférablement de bouteilles sport ou à bec de paille facile à transporter. Une bonne façon pour vous assurer une quantité et une disponibilité d'eau adéquate est d'en acheter en grande quantité. Mais après que vous ayez consommé un ou deux paquets chaque semaine, vous vous rendrez compte du coût que cela engendre et regretterez de jeter toutes ces bouteilles à la poubelle. À la place, je vous recommande d'acheter un pichet à eau doté d'un filtre. De cette façon, vous aurez toujours de l'eau fraîche, froide et goûteuse à disposition dans votre réfrigérateur. Vous pouvez aussi installer un filtre à eau sur votre robinet à la maison ou au travail. Mais je préfère la solution du pichet. C'est plus facile à utiliser, sans fuite ni risque de renversement et quand vous avez besoin de changer le filtre environ tous les mois ou deux mois, c'est beaucoup plus rapide. Avec ce système et avec beaucoup de bouteilles prêtes à remplir, vous n'aurez plus aucune excuse pour sortir sans eau. Rappelez-vous : si vous prenez l'habitude de boire de l'eau et que vous tenez cet engagement, vous allez vite boire une quantité d'eau supplémentaire sans même vous en rendre compte. Votre poids et votre santé s'amélioreront.

Simplifiez-vous la vie

Une chose que j'ai remarqué en faisant de l'eau ma boisson favorite (en plus de perdre du poids, avoir plus d'énergie, éliminer mes tentations alimentaires, avoir des cheveux et une peau plus sains, et d'un point de vue général, avoir une santé plus vigoureuse), c'est que cette action a vraiment simplifié ma vie. Quand dans votre régime, tout commence par l'eau, vous réalisez ce qui est important. Par exemple, lorsque vous avez la sensation d'avoir faim et que vous êtes en train de faire quelque chose (ça peut être au travail ou avec vos enfants ou votre époux (se), vous n'êtes pas obligé de penser quoi manger et où manger. La première chose à faire est d'attraper votre bouteille d'eau et de boire une gorgée car vous savez que c'est peut-être de la soif. De toute manière, même si vous avez envie de manger, boire vous aidera à différer votre appétit jusqu'à ce que vous trouviez un endroit plus approprié pour s'assoir pour savourer un repas ou une collation saine. N'est-ce pas bien ? Vous pouvez désormais commencer ce que vous vouliez faire ou continuer à faire ce que vous faisiez avec la personne avec laquelle vous le faisiez, simplement parce que vous n'avez que de l'eau à la main !

Rappelez-vous que boire de l'eau est la chose la plus importante et l'action la plus significative dans ce programme, c'est pourquoi elle a été exposée en premier et sera réexposée au quotidien. Donc, continuez à prendre l'habitude de boire de l'eau et faite tout votre possible pour que l'eau représente 90 % de vos apports liquides journaliers.

---

affirmation positive quotidienne

J'ai hautement confiance en mes capacités et en moi-même. Je suis reconnaissant(e) pour toutes les opportunités que chaque jour nous donne. J'accueille la santé optimale dans ma vie !

JOUR 7

Action> Continuer à développer l'habitude d'avoir toujours une bouteille d'eau sur vous ou à portée de main et en boire beaucoup pendant la journée. Choisir l'eau aux autres boissons.

Semaine 1 : Bilan

La balance pourrait être une façon de juger les résultats d'un programme diététique. Pourtant, le nombre qu'elle indique n'est pas le seul à pouvoir mesurer le succès d'une diète. En fait, si vous arrêtiez de monter sur votre balance, je vous dirais que c'est bien. La meilleure mesure pour comprendre où vous en êtes, c'est d'évaluer deux choses :

La première, examiner vos sensations. Comment vous êtes-vous senti au cours de cette semaine et comment vous sentez-vous aujourd'hui ? Avez-vous gagné en énergie, êtes vous moins paresseux ? Votre sommeil est-il de meilleure qualité ? Avez-vous plus d'énergie au travail ? Êtes-vous plus productif ? Vous n'êtes pas obligé d'entrer dans les détails après une semaine, mais il est intéressant d'avoir une idée générale sur la situation globale. Vous trouverez des réponses aux progrès que vous avez faits et vous conditionnerez votre esprit pour qu'il sache quand vous vous sentez mieux, plus léger, et lorsque vous aurez plus d'énergie au cours des prochains jours. Vous trouverez ci-dessous des questions que vous pourriez vouloir vous poser :

- Comment je ressens mes progrès à ce stade ?
- Comment mon corps se sent-il par rapport au moment où j'ai commencé ?
- Est-ce que je peux en faire plus pour avancer après ce que j'ai fait jusqu'à maintenant ?
- Est-ce que c'est quelque chose que je peux faire pour le restant de ma vie ?

La deuxième chose à évaluer ce sont vos actions. Jetez un coup d'œil à la semaine qui vient de passer et demandez-vous si vous avez été fidèle à ce qui vous a été demandé. Vous devriez être (à juste titre) plus attentif à ce que vous avez accompli et à ce que vous ferez de votre temps plutôt que de regarder ce que votre balance a à vous dire.

Jetez un coup d'œil aux semaines passées et répondez honnêtement si vous avez fourni un effort significatif pour boire plus d'eau et si vous avez fait des progrès depuis le Jour 1. Si vous pouvez répondre par un oui ferme, dites-vous alors « bravo ! » Si vous ne pouvez pas répondre par un oui ferme et que vous deviez admettre que vous avez un peu négligé vos efforts ou n'avez fourni aucun effort, ne vous inquiétez pas. Vous pouvez reformuler votre engagement pour que ça change.

Cheryl est texane et a des jumelles. Comme elle, elles étaient toutes les deux en surpoids et aimaient les boissons gazeuses. À contrecœur, Cheryl a suivit mon conseil et s'est lancée dans la diète coupe-tentations. Elle s'est efforcée à remplacer ses 5 grands GULP quotidiens par de l'eau. Ses filles ont également chassé l'habitude de boire des boissons gazeuses. Elles avaient un accès restreint aux boissons gazeuses parce que leur mère n'allait plus cinq fois par jour au supermarché pour leur en acheter. Après huit mois, Cheryl a perdu 75 livres et ses filles ont perdu chacune 25 livres. Elle a aussi économisé beaucoup d'argent, de temps et a peut-être évité des problèmes ultérieurs de santé en faisant ce seul et unique changement. Elle a aussi trouvé un travail mieux rémunéré et, juste après, elle a commencé à fréquenter un homme bien. Est-ce que tous ces changements sont liés à l'élimination des boissons gazeuses ? Il y a sans doute eu d'autres changements sains au cours de ses journées, mais ils ont tous commencé grâce à l'élimination des boissons gazeuses. Ce succès lui a permis de se créer une base solide sur laquelle s'appuyer. Elle a appris qu'un succès peut créer un effet boule de neige et peut ainsi toucher d'autres domaines, créant de la sorte de nombreux avantages.

Carol ne s'est pas privée de diète. Elle avait essayé plus de programmes diététiques qu'elle ne souhaitait mentionner et en maîtrisait tous les aspects. Elle ne manquait pas non plus de motivation. Elle revendiquait avoir essayé et tenté toutes les diètes pendant plus de vingt ans. Pourtant, son poids restait à 250 livres. Vingt ans, ça fait beaucoup de temps passé à faire la diète sans perdre de poids. Quel était le problème ? Les boissons gazeuses. Quelque soit la diète qu'elle suivait, Carol buvait des sodas tous les jours pensant que cela ne ferait aucune différence. Je lui ai demandé combien elle en buvait par jour et elle m'a répondu « quelques bouteilles ».

Étant donné qu'une bouteille de 16 onces contient environ 200 calories, j'ai eu du mal à croire que seulement deux bouteilles viennent ralentir sa perte de poids. Mon erreur fut de croire qu'elle parlait de 2 bouteilles de 16 onces. Elle se référait à deux bouteilles de deux litres par jour ! C'était évidemment son vice diététique et elle avait besoin de le remplacer par de l'eau.

À contrecœur, elle suivit mon conseil et abandonna les boissons gazeuses si chères à son cœur. Après six mois, elle m'a appelée pour me dire qu'elle s'était rendue dehors pour laver sa voiture et là elle commença à crier. Quand son mari sorti pour la secourir, assumant qu'une sorte d'animal sauvage était en train de l'attaquer, il la trouva en train de sautiller tout en rigolant. Il lui demanda ce qui se passait. Elle lui dit qu'elle s'était agenouillée pour laver les pneus de la voiture quand soudainement elle s'aperçut qu'elle s'était agenouillée. Avant d'éliminer son vice et d'avoir perdu 50 livres, s'agenouiller était quelque chose qu'elle n'avait pas fait depuis des années ! Carol sera la première à vous dire qu'elle n'a pas fait de diète pendant ces six mois. Elle a simplement éliminé son vice, les boissons gazeuses, et a bu beaucoup d'eau. Un seul changement peut faire une sacrée différence !

En augmentant votre apport en eau, votre apport calorique quotidien va baisser. En effet, cela est possible si vous remplacez un grand nombre ou la totalité des boissons riches en calories que vous consommez par de l'eau. Consommer moins de calories est bien sûr l'avantage de tous les objectifs-minceurs. Vous vous débarrasserez vous-même des calories contenues dans les liquides et qui se présentent sous la forme de sucres raffinés, ce qui, comme vous le verrez plus tard dans ce livre, sont les pires coupables responsables pour à la fois accumuler les livres et causer des maladies évitables tels que le diabète. Perdez l'habitude des sodas, remplacez-les par de l'eau et vous commencerez à ressentir un effet immédiat sur vos niveaux d'énergie et bientôt sur votre poids.

Maintenant que vous passez à la semaine 2, continuez de développer ces importantes habitudes. Cela peut faire la différence entre un grand et un tout petit succès. Et n'oubliez pas votre affirmation !

---

affirmation positive quotidienne

J'ai hautement confiance en mes capacités et en moi-même. Je suis reconnaissant(e) pour toutes les opportunités que chaque jour nous donne. J'accueille la santé optimale dans ma vie !

Semaine 2 Éliminer l'habitude de la restauration rapide *(et des autres vices diététiques)*

JOUR 8

Action> Continuer à augmenter votre apport journalier en eau.

Au cours de ces sept derniers jours, vous vous êtes concentré sur une action essentielle, celle de remplacer les boissons gazeuses par de l'eau. Cette semaine, vous aborderez la question liée aux aliments que contient votre régime. Ainsi, vous pourrez vous rendre compte que ce que vous mangez est responsable de votre surpoids. Vous allez devoir fournir de plus grands efforts, vous engager dans un programme et faire marcher votre volonté. Grâce à cette action, vous pourrez atteindre environ 75 % de votre perte de poids. Si vous décidez d'ajouter du PGX^MD cette semaine dans votre routine, vous vous donnerez un sérieux coup de pousse pour éliminer votre vice diététique. Cette aide supplémentaire pourra aussi vous permettre d'obtenir des résultats plus rapidement.

Identifier le plus mauvais vice alimentaire

Pour la plupart des gens, le premier vice alimentaire consiste à manger des aliments prêts à manger. Cette nourriture est très calorique et malsaine. Ces personnes en consomment régulièrement et en grande quantité, ce qui les empêche de perdre du poids. Peut-être que la consommation de plats rapides ne vous concernent pas, ou il se peut que vous ne mangiez pas régulièrement un *aliment particulier* qui vienne ajouter un nombre de calories disproportionné à votre régime. Cependant, je parie que vous mangez *quelque chose* qui a une valeur nutritionnelle faible ou nulle au quotidien et qui affecte négativement votre poids.

Si ce n'est pas un aliment en particulier, c'est peut-être une *habitude alimentaire* qui est responsable des calories en excès, comme par exemple manger un dessert à la fin de chaque dîner ou souper, manger des pâtisseries pour le déjeuner, emporter une barre au chocolat pour chaque après-midi, ou grignoter toute la journée.

La majorité des gens avec qui j'ai travaillé ou échangé des mots ou qui ont fourni des témoignages, ont au moins un vice alimentaire qui affecte leurs poids. Les études et les recherches soutiennent également ce fait. Il est donc important d'identifier quel aliment ou quelle habitude alimentaire contribue le plus en nombre de calories à votre régime. En effet, sans considérer l'eau, c'est la mesure la plus productive que vous puissiez prendre pour perdre du poids.

Les vices alimentaires les plus courants sont les biscuits, les muffins, les desserts, les pâtisseries, les croustilles de pomme de terre, la crème glacée, les frites, les céréales, les chiens chauds, les pâtes, les hamburgers, et les pâtes à biscuits. (Vous pouvez voir une liste plus exhaustive à la page 22.) Jetez un coup d'œil sur la nature de votre régime alimentaire au cours d'une semaine normale et identifiez l'aliment que vous consommez régulièrement et qui contribue de manière significative à votre apport calorique quotidien. C'est votre vice alimentaire. Écrivez-le dès maintenant.

Mon vice alimentaire est :

Ceci représente l'aliment (ou l'habitude) que vous allez éliminer !

Les vices alimentaires

En pensant à leurs régimes alimentaires hebdomadaire typiques, certaines personnes concluent qu'il existe un seul et unique aliment qui contribue à leur embonpoint plutôt qu'un groupe ou une catégorie d'aliments tels que les sucreries, les collations, le pain.

Que ce soit un seul aliment comme les brownies ou une large catégorie comme les sucreries, cela n'a pas vraiment d'importance. Ce qui est important de savoir, c'est que cet aliment (ou groupe d'aliments) a des qualités nutritives faibles, comporte beaucoup de calories et est consommé régulièrement, si ce n'est pas tous les jours. C'est ce qui fait que c'est un vice alimentaire.

Éliminer votre vice alimentaire

Comment chassons-nous un vice alimentaire ? Pour ceux qui pensent qu'on peut se débarrasser de son vice en limitant sa consommation, laissez-moi vous assurer que ça ne marchera pas. Il y a plusieurs raison à ça. La première, c'est qu'il est très probable que les statistiques sur l'obésité continuent à augmenter parce que nous croyons que nous méritons ce gâteau et pouvons le manger. Si on passe de diète en diète, années après années, le problème n'est pas d'avoir choisi la mauvaise diète, mais plutôt qu'on ne nous a pas dit la vérité sur ce qu'il faut faire pour atteindre et maintenir un poids sain. De plus, tout programme alimentaire qui se joint à la plupart des diètes implique un changement alimentaire draconien qui mène à l'abandon.

La maîtrise de soi-même, ou plutôt le manque de maîtrise de soi, est une autre raison pour laquelle l'approche de la modération ne fonctionne pas. Pour contrôler la nourriture (malsaine) que nous mangeons, n'est-il pas plausible de se demander au préalable qui contrôle qui ? Lorsque vous terminerez ce programme, vous pourrez réintroduire quelques vices alimentaires. Néanmoins, je vous conseille de ne pas le faire. Il vaut mieux vivre avec cet aliment et être capable d'en manger « raisonnablement » plutôt que d'essayer constamment d'en manger « raisonnablement » et d'échouer. J'ai banni la crème glacée de ma vie depuis dix ans et je n'en ai jamais remangé. J'ai décidé de ne plus manger des choses qui n'ont aucun effet bénéfique sur ma santé et qui ont contribué à mon embonpoint. L'expérience m'a enseigné que si vous avez sérieusement envie de maigrir, vous vous devez de faire tout ce qui est possible pour atteindre votre objectif. Au fil des années, j'ai remarqué que la plupart des gens ont beaucoup mieux maîtrisé cette méthode de gestion de poids parmi toutes les autres méthodes qu'ils ont essayé. Je pense qu'il en sera de même pour vous. La simplicité marche. Éliminez un vice alimentaire et remplacez-le par un substitut sain.

Substituer par des boissons et des aliments sains.

Maintenant que vous avez identifié et établi un programme pour éliminer votre *vice alimentaire*, il est temps de trouver quelque chose de sain et que vous mangerez en remplacement. Trouvez ci-dessous la liste des substituts sains que vous pouvez choisir de consommer, ou, si vous préférez, vous pouvez en créer un.

1. Les boissons saines acceptables

L'eau – visez 90 % du total de vos apports liquides quotidiens

Thé vert, sans sucre

Lait, écrémé ou à 1 %

Jus d'orange, de pomme ou de raisin (non concentré) – 8 onces par jour

Café – si vous en consommez, n'utilisez aucun édulcorant ni de substitut de sucre

2. Quelques aliments recommandés pour remplacer les *vices alimentaires**

pommes†
raisins†
petites carottes†
pamplemousse
céleri
poires
raisins secs
riz brun†
viande maigre
gâteau de riz
sandwich deli avec de la viande maigre
poitrine de dinde
compote de pommes naturelles non sucrée
substituts au beurre
soupe aux haricots
oranges†
bananes†
ananas
carottes
tomates
prunes
maïs soufflé (sans sel, sans beurre)
salades†
poisson blanc
artichauts
poitrine de poulet fumée
pain aux 12 grains
omelettes
yaourt Yoplait Lite

*Ces substituts sont sains. Néanmoins, il ne faut pas en manger en grande quantité. Il y a plein d'autres aliments sains qui sont admissibles, mais assurez-vous d'en manger en quantité raisonnable.

†Les favoris de Julia

3. Other suggestions

Céréales froides : Kashi Go-Lean – ajouter des graines de lin blanchies et des germes de blé

gommes à faible teneur en sucre

miel

mélanges veloutés protéinés – j'aime la marque SlimStyles qui contient du PGX^MD. En effet, mon choix se porte chaque matin au déjeuner sur la saveur Mocha riche !

Quand vous enlevez quelque chose de votre vie, surtout les habitudes, vous avez besoin de remplir cette espace ou ce temps par quelque chose d'autre. Vous ferez ça instinctivement, que vous y pensiez ou non. (C'est notamment vrai pour ceux qui mangent trop pendant ou après leur divorce. Ils remplissent le temps laissé par l'absence de leur partenaire en mangeant). Votre organisme ayant besoin de nutriments, vous devez trouver un substitut sain aux collations et aux repas malsains. Il y a quelques variables auxquelles il nous faut faire attention, la pluparts sont liées à la nature, au moment et à la quantité de ce que nous mangeons. Commençons par le principe de base.

Premièrement, vous devez estimer la quantité de nourriture saine qu'il vous faut substituer. Si vous consommiez tout un repas (constitué de plats-rapides par exemple), vous devez inventer un grand nombre de substituts sains pour venir le remplacer. Bien sûr, vous ne voudrez peut-être pas faire de changements extrêmes quant à la quantité de nourriture que vous aviez l'habitude de consommer, le temps passé à manger, ou le temps de préparation de vos repas, surtout si vous avez pris l'habitude de tout faire vite. Cependant, contrairement aux exigences de la plupart des diètes, vous n'avez pas à calculer le nombre exact des calories et la taille des repas. Vous pouvez tout simplement vous y accommoder au fur et à mesure du temps, pour qu'à la place de manger des plats rapides **malsains**, vous mangiez dorénavant une **version saine** des plats rapides.

En d'autres termes, considérez les options qui s'offrent à vous. Si vous devez prendre un repas sur le pouce, allez dans une épicerie et achetez un sandwich frais et sain. Sinon, essayez les repas précuits des supermarchés composés de poulet, de poisson, de riz, ou de bœuf maigre et accompagnés de légumes. Rappelez-vous que vous changez un repas par jour et non pas tous les repas de la journée. Aussi, gardez à l'esprit qu'il n'est pas nécessaire de comparer le nombre de calories entre le repas que vous consommiez auparavant et ce nouveau repas sain. Pour l'instant, continuez à consommer la même portion et choisissez autre chose qu'un hamburger, un hot dog ou d'autres aliments gras que vous consommiez auparavant. Trouvez un endroit dans votre quartier où vous pouvez commander un repas sain et *rapide*, pour que vous passiez d'une mauvaise à une bonne habitude. Ce principe est à l'opposé d'un changement de routine. Par exemple, Subway est une meilleure option comparée aux restaurants rapides traditionnels.

Une autre option est évidemment d'organiser par vous-même un repas sain au lieu de prendre la voiture et de commander à emporter. Il est beaucoup mieux, si vous le pouvez, de planifier à l'avance vos repas pour la semaine à venir, soit en les préparant à la maison ou en allant les chercher. (Voir la section dédiée aux recettes, Appendice II, page 205, pour vous donner des idées).

Si vous consommez trop d'un aliment en particulier ou d'une catégorie d'aliments, vous pourriez trouver un peu plus facile de les substituer. Si vous pouvez identifier un vice alimentaire à chasser, vous ne devez pas (pour l'instant) remplacer un repas tout entier. Vous devez simplement vous **efforcer à éliminer cet aliment et à le remplacer par un substitut sain**. Étant donné que la plupart des gens n'incluent pas assez de fruits et de légumes dans leur régime alimentaire, je vous recommande d'en choisir un ou deux que vous aimez et d'en faire le substitut de votre vice alimentaire. Il y a plein de fruits et de légumes à choisir qui viendront ajouter de la variété à votre régime et du goût à votre palais.

Prendre une collation saine

La suggestion la plus goûteuse, la plus intelligente, la plus logique et la plus facile que je peux vous conseiller est la suivante : trouvez deux ou trois fruits et quelques légumes que vous aimez et gardez l'habitude d'en avoir toujours un peu à portée de main pour les collations au cours de la journée. Par exemple, si vous mangez comme moi les mélanges veloutés de la marque SlimStyles tous les matins, prenez une cuillérée supplémentaire et versez-la dans un bol que vous mettrez au réfrigérateur. Gardez-le pour l'après-midi. J'ai aussi constaté que je pouvais grignoter des petites carottes à la place des bonbons usuels. Cela m'a permise non seulement de réduire mon appétit tout en ajoutant les fibres et les vitamines nécessaires à mon régime, mais aussi de ne pas me sentir molle en fin de journée. Et ce n'est pas tout. En y repensant aujourd'hui, je crois que ces carottes et toutes leurs fibres ont nettoyé mon organisme qui en avait bien besoin. Vous pouvez en faire autant avec tous les fruits et légumes. Si vous les utilisez sous forme de collation pendant la journée, vous remplacerez votre vice alimentaire et en même temps réduirez votre appétit quand l'heure du repas arrivera. Grignoter sainement est la façon la plus facile et la plus efficace pour éliminer votre vice alimentaire tout en apportant à votre organisme les fruits et les légumes dont il a besoin. Si vous êtes souvent stressé à la fin de la journée et que vous êtes tenté par un vice alimentaire, vous pouvez repousser l'envie pressante de manger quelque chose de malsain en prenant un comprimé à croquer de Théanine. J'ai trouvé que le Suntheanine à croquer de Natural Factors vient parfaitement remplacer mon habitude des tartes sucrées. Suntheanine est excellent pour réduire le stress et paralyser le désir qui stimule « la faim émotionnelle ».

Maintenant que vous travaillez cette étape, évitez la tendance que l'on a à trop compliquer les choses. Restez simple ! Vous ne pouvez pas oublier le fait que vous avez adopté une certaine façon de manger pendant longtemps. Pour faire des changements sains qui durent, vous devez les introduire progressivement, peut-être en faisant un changement à la fois et sur une période longue au lieu de faire un changement spectaculaire dès le premier jour. Concentrez-vous sur le remplacement de l'aliment (riche en gras ou très calorique) que vous consommez régulièrement et en trop grande quantité. Choisissez un ou deux substituts alimentaires pour remplacer ces aliments malsains. Faites uniquement ce changement et tenez-le jour après jour.

affirmation positive quotidienne

J'ai hautement confiance en mes capacités et en moi-même. Je suis reconnaissant(e) pour toutes les opportunités que chaque jour nous donne. J'accueille la santé optimale dans ma vie !

JOUR 9

Actions> (1) Continuer à augmenter votre apport journalier en eau ; (2) Substituer la nourriture saine à votre *vice alimentaire.*

Un des problèmes soulevé lorsque l'on cherche à éliminer les plats rapides ou les biscuits, les chocolats, la crème glacée, est de savoir s'il est nécessaire d'enlever ces derniers de notre régime alimentaire. La plupart des personnes qui ont abandonné ma méthode de répression des vices et de contrôle du poids ne pensaient pas devoir abandonner totalement la nourriture qu'ils aiment tant. Je ne dis pas que vous ne devez pas apprécier la nourriture. Le problème est davantage porté sur le fait que vous avez pu peut-être trop apprécier cette nourriture par rapport à celle qui est saine. Vous avez besoin de manger pour alimenter à la fois votre organisme et ses fonctions. Même si manger est plaisant, je ne peux pas vous dire qu'il soit bon de s'alimenter de tout et de n'importe quoi ou de votre vice alimentaire. Si vous pensez avoir le droit d'en manger un peu, vous en voudrez plus ! Donc laissez-moi vous rappeler ce que je vous ai dit à propos de ce qu'on appelle manger avec modération. Il est très très difficile de prendre une bouchée de ce que vous adorez manger sans retomber dans les mauvaises habitudes et la dépendance. C'est bien ça, la dépendance ! Les vices alimentaires sont des vices alimentaires parce que nous en voulons au point d'en avoir besoin.

Quand vous vous attaquez pour la première fois à un vice alimentaire, vous pourriez penser que vous êtes mentalement et physiquement privé de ce dernier. Cependant, je vous encourage à brimer l'attitude « pauvre de moi » en ne vous concentrant pas sur ce que vous avez perdu, mais sur les gains escomptés. Ne vous êtes-vous pas privé d'un mode de vie sain et d'une bonne forme physique à cause de l'excès de calories que vous avez consommées ? N'est-ce pas cette nourriture supposée bonne, en fait ce vice, qui vous a causé tant de douleur, de peine, et cette frustration de porter ce poids que vous ne voulez pas ? N'avez-vous pas perdu du temps, de l'énergie, de la productivité et de l'argent au travail à cause de ce vice alimentaire ? Voulez vous voyager plus avec votre époux (se), sortir plus ou avoir plus de relations sexuelles ? N'en vaudrait-il pas la peine d'éliminer ce vice alimentaire si vous pouviez atteindre ces buts, voire même plus ?

Selon moi, la privation n'est pas de vivre sans un vice alimentaire malsain, mais plutôt de vivre avec et de ne pas être en mesure d'avoir un corps énergétique et physiquement en forme tout en maintenant un poids sain. La privation vous empêche de faire tellement de choses qui devraient vous être accessibles, c'est-à-dire ce que *vous voulez faire*, mais que vous ne faites pas en raison de votre surpoids. Il y a seulement privation quand vous préférez les choses malsaines à celles qui sont saines, car cela vous prive du potentiel qui est en vous. Si vous vivez avec une barrière connue, surmontable et évitable placée entre ce que vous êtes aujourd'hui et ce que vous rêveriez d'être, n'est-il pas de votre responsabilité d'y remédier ?

Oubliez la nourriture malsaine pour toujours et remplacez-la par de la nourriture saine. Vous choisirez une vie heureuse et pleine de satisfaction. Délaissez les choses malsaines et pensez symboliquement qu'en faisant ainsi, vous abandonnez les déceptions, les frustrations ou la colère que vous avez pu ressentir dans le passé. À la place, faites la bienvenue à l'énergie, à la satisfaction et au nouveau potentiel à venir qu'il y a en vous.

Valérie est une jeune femme âgée d'une vingtaine d'années et qui vivait avec de mauvaises habitudes, comme manger des petits gâteaux tous les jours. Après avoir identifié le vice et pris conscience qu'elle avait besoin d'engager un changement, elle a réussi à perdre 150 livres en quelques mois. Cela lui permit de surmonter son penchant pour les sucreries et lui donna l'impulsion dont elle avait besoin pour finalement perdre du poids. Vivre avec l'habitude de manger des petits gâteaux l'empêchait de faire tellement de choses. Maintenant elle vit son rêve ! Seulement grâce à une bonne action ! Continuez à travailler cette deuxième étape, et comme Valérie, vous verrez de plus en plus d'avantages venir.

---

affirmation positive quotidienne

J'ai hautement confiance en mes capacités et en moi-même. Je suis reconnaissant(e) pour toutes les opportunités que chaque jour nous donne. J'accueille la santé optimale dans ma vie !

JOUR 10

Actions> (1) Continuer à augmenter votre apport journalier en eau ; (2) Substituer la nourriture saine à votre *vice alimentaire.*

Si vous étiez sur un bateau au milieu de l'océan et que vous avanciez de 10 kilomètres par heure et si vous changiez votre direction de 1 degré, une semaine plus tard, vous vous retrouveriez à des kilomètres du point que vous auriez dû atteindre si vous n'aviez pas changé de direction. Cette illustration simple nous montre comment un petit changement peut, au fil du temps, faire une grande différence. Pour réussir le programme de la diète coupe-tentations et atteindre un poids plus sain, commencez simplement à faire des changements, les uns après les autres.

Une étude de ediets.com

Le site Web ediets.com compte plus de quatorze millions de membres qui cherchent à améliorer leur niveau de santé et de forme physique. Le site a récemment mené une enquête auprès de ses membres pour en apprendre plus sur les vices diététiques. Ils ont demandé aux lecteurs : « Avez-vous des vices diététiques ? », « Si oui, quels sont-ils ? », mais aussi « Combien de fois par jour ou par semaine cédez-vous à la gourmandise alors même que vous faites une diète ? » Et finalement, « Est-ce que vous vous sentez coupable de céder à la tentation ? »

Les réponses sont très intéressantes.

- 91 % des répondants ont dit qu'ils avaient des vices diététiques.
- Les réponses les plus courantes étaient : les bonbons ou le chocolat, la restauration rapide, les croustilles aux pommes de terre, les biscuits, la crème glacée et les boissons gazeuses.
- 38 % ont répondu dévier de leurs plans initiaux QUOTIDIENNEMENT et 33% de façon HEBDOMADAIRE. Au final, cela fait 71 % des personnes faisant la diète qui sont contrôlées par leurs vices. Ces derniers viennent entraver leurs efforts de perte de poids.
- 81 % des répondants se sentaient coupable de céder à leur vice.

Lire ces statistiques m'a convaincue de deux choses : (1) nous ne sommes pas seuls à combattre ces vices et (2) réprimer les vices est essentiel si nous voulons perdre du poids et maintenir un poids sain.

Il n'est pas bon de suivre une diète qui prescrit un programme alimentaire si c'est pour finalement craquer et se régaler de ces vices. Il est plus plausible que vous vous débarrassiez de ces vices qui viennent constamment saboter vos efforts. L'aliment qui contribue le plus à notre apport calorique quotidien est notre vice alimentaire. L'USDA a révélé que l'augmentation de notre apport calorique dans notre régime alimentaire entre 1978 et 1996 provient de l'augmentation de la prise de collations. Il semblerait amusant de voir un ancien alcoolique sevré travailler dans un bar et servir des boissons alcoolisées. Il en va de même pour vous cher lecteur. Vous ne devriez pas fréquenter les restaurants rapides où 90 % des aliments sont gras, malsains et créent très probablement une dépendance. C'est aussi vrai pour un alcoolique que pour vous : la seule façon d'éviter ce qui n'est pas bon pour vous est de s'en éloigner.

Efforcez-vous d'éliminer cet aliment particulier ou cette catégorie d'aliments en provenance de la restauration rapide. Vous n'en avez pas besoin. Il ne fait que vous donner envie. Cassez-le, démolissez-le, broyez-le, retapissez-le, brûlez-le. **ÉLIMINEZ-LE** ! Vous pouvez le faire !

affirmation positive quotidienne

J'ai hautement confiance en mes capacités et en moi-même. Je suis reconnaissant(e) pour toutes les opportunités que chaque jour nous donne. J'accueille la santé optimale dans ma vie !

JOUR 11

Actions> (1) Continuer à augmenter votre apport journalier en eau ; (2) Substituer la nourriture saine à votre *vice alimentaire*.

Maintenant que vous avancez un peu plus tous les jours, évaluez-vous. Faites le point vous-même de votre réussite. Si vous savez que vous n'avez pas atteint l'apport en eau souhaité parce que vous avez oublié votre bouteille d'eau, soit, mais ne vous culpabilisez pas. Cependant, si vous avez poursuivi sans eau ou avec votre vice alimentaire, c'est que vous n'avez pas fourni un effort convenable. Bâtir votre prise de conscience est une étape importante du processus minceur. J'utilisais une bouteille de 32 onces et la vidais au moins deux fois par jour. Boire de l'eau est devenu tellement une habitude que je peux dorénavant dire si je suis en manque d'eau. Quant aux vices alimentaires, il est important de se préparer à éviter « l'ennemie ». Le meilleur moyen de défense, c'est de préparer une grande offensive. Si vous êtes préparé, votre tentation et votre habitude auront seulement une toute petite chance de survie.

Nous avons tous besoin de nous arrêter régulièrement pour prendre le temps d'estimer toutes les bonnes choses que nous avons accomplies. Pour l'instant, vous ne voyez peut-être pas apparaître des changements sur votre corps, mais ce qui est important, c'est de rester concentré sur les deux actions simples qu'il vous faut accomplir aujourd'hui. Prendre le temps chaque jour de réfléchir aux bonnes décisions que vous prenez peut renforcer l'impact des mesures positives qui sont les vôtres.

- Les actions que j'entreprends pour éliminer les aliments malsains sont-ils la conséquence d'une décision responsable ?

- Est-ce que je suis le programme à la lettre parce qu'il exige que ce soit ainsi ?
- Est-ce que je pense que seulement quelques changements vont pouvoir améliorer ma vie ?
- Est-ce que je me soucie vraiment du futur pour que ça vaille la peine de fournir un effort honnête et positif ?
- Vais-je être plus satisfait et accomplir plus en vivant sainement sur le long terme ?
- Pourquoi est-ce que j'ai mangé mon vice alimentaire ou ai-je bu un soda ?

Ce type de questions vous aidera à déterminer si vous êtes motivé sur le long terme. Cela ne veut pas dire que vous n'aurez pas des moments de cafouillage ou de doute, parce que nous en avons tous. Toutefois, si vous prenez le temps d'évaluer votre futur en général et les conséquences qu'il y aura si vous restez dans l'état dans lequel vous êtes maintenant contre celles que vous pouvez obtenir si vous *changez*, alors la motivation ne devrait plus être un problème.

Repas en famille

La plupart du temps, nous nourrissons nos enfants (et nos époux (ses)) de ce que nous mangeons et vice-versa : nous mangeons ce que nos époux (ses) nous préparent. La plupart des gens vont me dire qu'ils ne peuvent pas s'arrêter de manger la nourriture qu'ils aiment parce qu'il y en a toujours chez eux. Dans ce cas, votre époux (se) et vos enfants sont-ils disposés à faire une diète ? Avec ce que vous savez, vous pouvez inciter votre famille à se joindre à vous, en vivant et en mangeant sainement.

J'espère que vous leur avez déjà dit que l'eau est bonne pour eux et qu'ils devraient augmenter la quantité qu'ils boivent tout en réduisant leur consommation de boissons sucrées malsaines. L'obésité peut concerner tout le monde. De nos jours, les enfants n'ont jamais été aussi touchés par l'obésité. Les diabètes qui apparaissent à l'âge adulte sont dit de type 2 parce que les enfants et les adolescents ont dorénavant un taux épidémique de diabète. Nous commençons à constater des problèmes cardiaques et de l'hypertension chez des sujets de plus en plus jeunes. Faites en sorte que votre famille soit une raison supplémentaire pour laquelle vous souhaitez être en bonne santé. C'est bon pour eux et c'est bon pour vous. Leur implication et leur soutien vous aideront à poursuivre les changements nécessaires pour chasser votre vice.

J'ai discuté avec Peggy après sept jours du programme *coupe-tentations*. Elle m'a dit que ça avait été un peu difficile au début, mais qu'elle a réussi à tenir le coup et finalement de passer le cap. Elle m'a dit qu'elle avait le sentiment de devoir en faire plus. Faire plus de changement, parce qu'elle était après tout à la diète. Je lui ai assuré qu'elle ne devait pas en faire plus à ce stade mais qu'elle pourrait en faire ainsi plus tard. Ensuite, je lui ai demandé pourquoi elle avait ce sentiment. Par là, je souhaitais savoir si c'était parce qu'elle souhaitait obtenir plus rapidement des résultats. (Rappelez-vous qu'on est seulement à une semaine de l'élimination du vice.) C'était en fait tout l'opposé. Elle se sentait tellement bien qu'elle voulait en faire plus. Quel soulagement ! Même si j'étais heureuse d'entendre sa réussite, je lui ai dit qu'il était important de continuer à faire ce qui était prévu pour que ces actions deviennent des habitudes, et non pas un passage temporaire pour perdre du poids (qui serait à son tour temporaire). Depuis, de nombreux mois ont passé, et j'ai dernièrement entendu qu'elle vivait heureuse avec un poids sain sans jamais avoir fait quelque chose d'ardu et de compliqué. Peggy, si tu es en train de me lire, j'ai quelque chose de plus à ton programme que je n'ai pas pu faire avant : c'est ajouter du PGX^{MD} ! C'est un changement simple qui vous assurera un maintien facile de votre perte de poids. Faites en sorte qu'il fasse partie de votre vie !

---

affirmation positive quotidienne

J'ai hautement confiance en mes capacités et en moi-même. Je suis reconnaissant(e) pour toutes les opportunités que chaque jour nous donne. J'accueille la santé optimale dans ma vie !

JOUR 12

Actions> (1) Continuer à augmenter votre apport journalier en eau ; (2) Substituer la nourriture saine à votre *vice alimentaire.*

Une bouteille d'eau par jour et un morceau de fruit ou un dîner à emporter à la place de votre vice alimentaire sont les mesures qui ont été prises au cours de ces deux semaines. Chaque jour nouveau est l'occasion de faire quelque chose de plus, pour qu'après un certain temps, cela fasse avancer les choses.

Il n'y a pas si longtemps, un des membres de ma famille m'a dit devoir réduire son niveau de cholestérol. Son docteur lui avait dit que ses triglycérides étaient dix fois plus élevés que la normale et que son cholestérol était 20 % au-dessus de la limite recommandée. Même si la génétique et le régime alimentaire jouent un rôle essentiel sur les niveaux de cholestérol, j'ai considéré ce problème avec sérieux car il ne souffrait pas de surpoids.

Il s'était embarqué dans un programme minceur à contrecœur. Il ne voulait pas commencer à manger différemment parce que ces nouveaux repas n'étaient pas de son goût et qu'il ne savait pas comment les préparer. Au lieu de faire une diète draconienne, je lui ai dit de jeter un coup d'œil *aux changements* proposés par son docteur et de les fragmenter pour en accomplir un par semaine. Je lui ai aussi demandé de regarder ces ajustements comme un changement de mode de vie. Aujourd'hui, il a un taux de cholestérol et de triglycéride sain et ses habitudes alimentaires sont à la fois *saines* et bonnes.

Améliorer votre état de santé grâce aux fruits et légumes

Il est possible d'avoir ou d'être proche d'un poids sain et d'avoir des problèmes de cholestérol. Ceci me laisse penser que nos pratiques alimentaires détruisent bien plus de personnes que celles qui ont un surpoids.

Si vous ajoutez les calories contenues dans chaque groupe alimentaire que vous consommez quotidiennement, je suis prête à parier que les fruits et les légumes ont le pourcentage le plus bas et qu'à l'inverse, les graisses, le pain et les viandes ont le pourcentage le plus élevé dans votre régime. Il est plus facile de prendre beaucoup de calories en mangeant un peu d'un aliment gras, mais bien plus difficile d'atteindre le même nombre de calories consommées en mangeant des carottes, du céleri, des brocolis ou des tomates. Il en va de même pour les fruits tels que les pommes, les oranges, les fraises, les raisins qui nécessitent une consommation élevée pour atteindre le même nombre de calories contenues dans ce petit aliment gras.

L'ajout de fibres dans votre régime est aussi un avantage que procure la consommation de fruits et légumes.

Certains programmes minceurs conseillent d'éviter tous les sucres. Pourtant, tous les sucres ne sont pas pareils. Si vous consommez le sucre contenu directement dans les fruits, par exemple dans une pomme ou une orange, vous n'allez pas nuire à votre santé. Bien au contraire, ça vous fera le plus grand bien. Commencez à acheter plus de fruits et prenez-les comme vos collations, ou utilisez-les pour remplacer votre vice alimentaire. Pensez aussi à utiliser PGX^MD comme par exemple un mélange velouté SlimStyles pour que vous vous sentiez plus rassasié. PGX^MD vous permettra d'attendre le prochain repas sans prendre des calories supplémentaires. Grâce à son contenu riche en fibres, PGX^MD aide également à réduire le taux de cholestérol. Rappelez-vous que notre étude sur ediets.com révélait que les vices alimentaires courants étaient les croustilles, les bonbons et les biscuits. Tous ces aliments peuvent être remplacés par un morceau de fruit, un légume ou un mélange velouté contenant du PGX^MD. N'attendez pas pour faire un grand changement. Faites quelque chose dès aujourd'hui. Prenez une initiative supplémentaire plus saine que celles que vous avez prises il y a deux semaines.

Comptez vos chances

L'exercice le plus important que vous pouvez faire pour améliorer votre apparence tout en développant et maintenant une attitude mentale positive est de prendre note de toutes les choses qui vous ont aidé. Il peut être difficile lorsque l'on est en surpoids de surmonter les blocages psychiques ou de franchir les obstacles qui se trouvent sur un parcours minceur. Cependant, une modification de votre état d'esprit peut faire de grands changements dans une vie. En effet, 98 % des défis dans la vie sont avant tout des **défis psychiques**. Lorsque vous faites face à l'obligation d'accomplir une tâche ou un objectif, il vous faut fournir des efforts intenses en général dus au plan d'attaque ou à la conviction que vous allez réussir. Après il suffit juste de s'exécuter.

Une façon pour commencer à croire en soi est de regarder autour de vous ce qui vous rend heureux. Quels sont les gens, les choses, les lieux, les événements, les tâches, les photos, les souvenirs, et toutes les autres choses qui vous tiennent à cœur et que vous aimez ? Parfois, vous pourriez oublier toutes les bonnes choses présentes dans votre vie en vous concentrant trop sur votre apparence et votre poids.

Quelles expériences avez vous eu l'année dernière, ou il y a cinq ou dix ans et que vous avez aimées ? Ça peut être aussi simple que l'événement sportif d'un de vos enfants ou petits-enfants, ou aussi excitant qu'un tour d'Europe. Si vous avez du mal à compter vos chances, veuillez trouver ci-dessous une liste qui vous aidera à y penser :

Compter ses chances

Je suis reconnaissante pour avoir :

1 mes enfants
2 mon époux (se)
3 des fous rires
4 une maison chaleureuse
5 de la lumière
6 ma voiture
7 mon travail
8 des amitiés
9 amour/mariage
10 du soleil
11 des plages
12 des vacances
13 une famille
14 des congés
15 le choix
16 de la neige
17 du patinage
18 des salades
19 mon téléphone cellulaire
20 une cour de récréation
21 les enfants de ma famille
22 les anniversaires *(y compris le mien !)*
23 un bain chaud
24 des vêtements/ tenues
25 de la nourriture
26 des opportunités
27 des idées créatives
28 des avions
29 des films
30 des fruits
31 des dessins animés
32 des filtres à eau
34 des draps frais
33 une serviette chaude
35 de la bonne musique
36 un feu étincelant
37 le zoo
38 la littérature
39 le savoir
40 mon (ma) meilleur(e) ami(e)
41 ma religion
42 la technologie
43 mon ordinateur
44 une bougie parfumée
45 le sourire d'un ami
56 l'aide d'un inconnu
47 des bénévoles
48 le don de la vie

affirmation positive quotidienne

J'ai hautement confiance en mes capacités et en moi-même. Je suis reconnaissant(e) pour toutes les opportunités que chaque jour nous donne. J'accueille la santé optimale dans ma vie !

JOUR 13

Actions> (1) Continuer à augmenter votre apport journalier en eau ; (2) Substituer la nourriture saine à votre *vice alimentaire.*

J'espère que vous avez l'impression d'avoir fait de bons changements dans votre vie. J'espère aussi que vous avez remarqué l'absence d'un programme alimentaire et le fait que ce programme n'insiste pas sur la nourriture. En étant constamment concentré sur toutes les choses que vous mangez et toutes les choses que vous ne devriez pas manger, vous resterez focalisé sur le problème : la nourriture. Pour pouvoir débuter, la solution est de vous concentrer sur des actions simples et de les appliquer pour atteindre vos objectifs de cours terme (en accomplissant vos actions du jour ou de la semaine).

Trois raisons à l'obésité

Je crois que nous, les américains, échouons à atteindre un poids sain à cause de trois raisons.

Premièrement, nous mangeons ce que nous aimons au quotidien et aimons ce que nous mangeons. Puisque tant de personnes le font, c'est que ça ne doit pas être si mauvais, je me trompe ? Je me demande si vous faites partie des personnes qui ont un taux de cholestérol ou une pression artérielle élevée ou si vous souffrez de la panoplie des problèmes de santé liés au surpoids. J'ai entendu dire que des millions de personnes ne savent même pas qu'ils sont diabétiques. En prenant des mesures cette semaine pour cesser la consommation de votre vice alimentaire, vous devriez être en train d'apprendre beaucoup sur vous-même. Chaque jour, vous pourriez être tenté par votre vice, mais croyez moi, ça n'en vaut pas la peine. Restez concentré et guidez votre chemin vers .ce que vous *voulez* et là où vous voulez *aller*.

La deuxième raison pour laquelle nous avons peut-être raté le train de la santé est due au fait que nous soyons simplement sous informés sur le danger qu'il y a à consommer la majorité des produits alimentaires disponibles. Tous les restaurants ont un menu dans lequel un ingrédient vient contredire le caractère sain de ce menu. La plupart des produits contiennent trop de pain, de beurre, de sel, de crème, de graisse, d'huile ou sont servis en trop grande quantité. Si vous voulez vous régaler, il existe des façons plus saines de le faire.

La troisième raison pour laquelle les statistiques sur l'obésité ne cessent de croître est due à notre manque d'objectifs annuels, mensuels, hebdomadaires, et même quotidiens. Je pense que nous nous ennuyons. Nous ne faisons rien, pas même les choses nécessaires ni les choses qui devraient être faites, parce que nous n'en avons pas la liste. Y-a-t-il des choses à faire dans votre maison que *vous* aimeriez voir accomplies ? Y-a-t-il des choses que vous avez oublié de faire ? Qu'en est-il des choses que vous vouliez faire avec vos enfants ? Demandez-vous pourquoi vous ne les avez pas faites. Est-ce que vous vous donnez des excuses bêtes pour ne pas entreprendre d'actions ? Fixez-vous un but, évitez les excuses et activez-vous !

Interrompre le cycle, s'instruire, se fixer des objectifs

Pour surmonter les forces qui complotent pour vous rendre gros, vous devez les contrer. La première chose à faire est d'interrompre le cycle (l'habitude). Pour ce faire, vous allez devoir changer légèrement de direction.

La deuxième chose à faire est de s'instruire. Il vous faut apprendre à distinguer ce qui est sain de ce qui ne l'est pas.

La troisième mesure à prendre est de vous fixer des objectifs. Consolidez votre esprit en pensant à ce qui est bon pour vous. Rappelez-vous que vous ne recherchez pas seulement la minceur, mais les choses que vous pensez pouvoir vous arriver suite à un corps plus en forme. Vous ne recherchez pas seulement l'énergie, vous souhaitez être capable de faire les choses que vous ne pouvez pas faire aujourd'hui. En vous fixant des objectifs clairs, le chemin sera plus facile à parcourir.

---

affirmation positive quotidienne

J'ai hautement confiance en mes capacités et en moi-même. Je suis reconnaissant(e) pour toutes les opportunités que chaque jour nous donne. J'accueille la santé optimale dans ma vie !

JOUR 14

Actions> (1) Continuer à augmenter votre apport journalier en eau ; (2) Substituer la nourriture saine à votre *vice alimentaire.*

À la fin des deux premières semaines, les changements que vous devriez ressentir au niveau émotionnel, mental, physique et peut-être spirituel devraient dorénavant être notables. S'ils ne le sont pas, c'est que vous n'avez pas avancé autant que vous l'auriez souhaité. La bonne nouvelle, c'est que ce n'est pas si rare. Vous pouvez fixer l'allure à laquelle vous allez, pour qu'elle soit la plus confortable et la plus efficace pour vous.

Semaine 2 : Bilan

L'auto-évaluation de ce jour vous aidera à déterminer l'impact de vos actions et les points qu'il vous faut améliorer.

- Comment je ressens mes progrès à ce stade ?
- Comment mon corps se sent-il par rapport au moment ou j'ai commencé ?
- Est-ce que je peux en faire plus pour avancer après ce que j'ai fait jusqu'à maintenant ?
- Est-ce que c'est quelque chose que je peux faire pour le restant de ma vie ?
- Est ce que je me sens privé ou encouragé ?

Ces questions sont uniquement destinées à renforcer votre condition mentale afin d'améliorer votre vie. Si vous pouvez formuler une réponse positive à au moins trois de ces cinq questions, c'est que vous avez progressé.

La nourriture, notre carburant

Prenons-nous le temps de penser au fait que s'alimenter est une action destinée à faire fonctionner notre organisme ? Ce n'est pas si différent d'acheter de l'essence de haute qualité pour faire marcher notre voiture. Notre goût est devenu en quelque sorte une *jauge à plaisir* plutôt qu'une *jauge de qualité*. Nous ne recherchons plus le goût qui est sain (sans trop de sucre, de sel et d'épice), mais à la place nous nous concentrons sur le plaisir que nous procure la nourriture. La nourriture et les boissons sont devenues des choses plaisantes et ne sont plus considérées comme un besoin vital.

Il est *satisfaisant* d'avoir un bon repas après une longue journée de travail. Ce n'est pas une récompense, mais plutôt un temps de réflexion sur la journée chargée et productive que vous venez de passer tout en vous apportant les nutriments dont vous avez besoin. Toutefois, choisir de la nourriture malsaine et des collations prises tout au long de la journée n'est pas une chose dont vous avez besoin (parce que vous n'avez pas faim et/ou n'avez pas besoin de ce type de nutriment). C'est se régaler plutôt que de se satisfaire. Il n'y a pas de mal à aimer prendre le temps de s'asseoir, de se relaxer, de faire des connaissances tout en mangeant votre repas. Toutefois, si vous restez concentré sur ce dont votre organisme a **besoin**, vous **voudrez** de moins en moins de choses malsaines et inutiles.

Où en êtes-vous à présent

Premièrement, l'eau devrait faire partie de votre vie quotidienne chaque jour. Vous devriez emporter une bouteille d'eau et en avoir une à portée de main tout le temps.

Débutez vos matinées en buvant un verre d'eau de 8 onces. Un verre sera déjà pris avant même que vous ne commenciez votre journée. Vous allez être épaté par la vitesse à laquelle vous allez développer l'envie de boire de l'eau, si ce n'est pas déjà fait.

« Le secret pour se débarrasser des livres en trop se trouve peut-être dans un verre d'eau. Buvez la quantité d'eau adéquate et vous brûlerez plus de calories. » C'est ce que les scientifiques berlinois de la clinique de recherche Franz-Volhard nous disent sur les effets de la consommation d'eau. Ils ont démontré scientifiquement que les personnes qui boivent deux litres d'eau par jour brûlent 150 calories de plus. Leurs résultats montrent que l'eau semble stimuler le système nerveux sympathique qui régule le métabolisme. Les personnes qui boivent 500 milligrammes d'eau augmentent leur taux métabolique de 30 %. Votre taux métabolique correspond au taux de calories brûlées. Curieusement, l'augmentation de 40 % des calories brûlées sont dues au fait que votre organisme essaie de réchauffer l'eau que vous venez juste de boire !

Également, ils nous recommandent de boire de l'eau sous sa forme traditionnelle. Les eaux gazeuses et parfumées et les boissons gazeuses ont selon eux un effet négatif sur nos taux métaboliques (comme reporté dans le *Journal of Endocrinology & Metabolism*). En conséquence, continuez à développer l'habitude de boire de l'eau pour que sa consommation représente au moins 90 % de vos apports liquides journaliers.

Deuxièmement, vous devriez maintenant savoir si votre vice alimentaire contrôlait ou pas votre poids par le passé. Au bilan de la première semaine, j'ai remarqué qu'il devient difficile pour beaucoup de gens de ne plus du tout consommer leur vice alimentaire. Arrivé à un certain stade, votre esprit pourrait vous dire que d'en avoir « juste une bouchée » ou « juste une toute petite bouchée » n'est pas si grave. Ces désirs peuvent être difficiles à affronter, mais vous devez y résister. Que ce soit des aliments rapides, un aliment en particulier (comme des biscuits), une catégorie d'aliments (les confiseries par exemple) ou simplement la taille d'une portion (manger trop et trop souvent), vous devez rester fidèle à votre résolution en éliminant ce qui est mauvais et en le remplaçant par quelque chose de bon. Trouvez ci-dessous un rappel des exemples de vices alimentaires courants et leurs substituts sains :

Vice alimentaire à éliminer	Substituts sains
restauration rapide	Salade saine – petit sandwich deli
pizza	muffin à l'avoine pauvre en matière grasses
biscuits	petites carottes
chocolat	pommes ou oranges
barres sucrées	céleri avec du beurre d'arachide pauvre en matière grasse
croustilles de pommes de terre	raisins ou pommes
céréales riches en sucre	avoine ou blanc d'œufs
déjeuners au restaurant rapide	céréales riches en fibre et en germes de blé
desserts, tartes	bol de fruit assortis
pâtisseries	fruits
hamburgers	poulet grillé
grandes portions	petites portions s *(utilisez PGX^MD pour avoir le sentiment d'être rassasié plus vite)*

---

affirmation positive quotidienne

J'ai hautement confiance en mes capacités et en moi-même. Je suis reconnaissant(e) pour toutes les opportunités que chaque jour nous donne. J'accueille la santé optimale dans ma vie !

Les bons et les mauvais glucides : Préparer des repas en utilisant l'indice glycémique et l'échelle de la charge glycémique.

Une stratégie clé lorsque l'on fait la diète est d'éviter les aliments qui entraînent une augmentation rapide de notre glycémie. Quand je vous ai parlé de PGX^MD au début de ce livre, j'ai expliqué en détail, la façon dont les aliments à digestion rapide, surtout ceux malsains contenant de la graisse, du sucre, du sel et beaucoup de féculent (glucides) influencent les taux glycémiques. Il y a d'abord une montée du sucre dans le sang, nous procurant beaucoup d'énergie. Ensuite, le sucre tombe brusquement, de sorte que le cerveau exige de la nourriture comme si notre vie en dépendait. (En effet, le cerveau analyse cette chute de travers et pense qu'elle va entraîner à son tour, la chute du taux d'oxygène contenu dans le sang. En d'autres mots, il pense que notre vie est menacée). Quand les taux glycémiques sont faibles, nous sommes contraints de manger la première chose qui nous vient à l'esprit, et si ce que l'on choisit n'est pas sain, un cercle vicieux s'enclenche.

Pour choisir des aliments sains qui n'affecteront pas votre taux glycémique, nous pouvons compter sur un instrument de mesure, développé il y a dix ans. L'indice glycémique (IG) est une échelle utilisée pour indiquer la vitesse à laquelle notre glycémie augmente et détermine l'aliment qui y contribue le plus. Il est mesuré à l'aide d'un tableau standardisé. Ses données sont basées sur de nombreux tests en laboratoires menés sur de nombreuses personnes et sur de nombreuses années. La nourriture dotée d'un indice glycémique faible provoque une montée nettement moins rapide du sucre contenu dans le sang. Inversement, les aliments dotés d'un indice glycémique élevé provoquent une monté *rapide* du sucre dans le sang. Trouvez ci-dessous quelques exemples. Certains pourraient vous étonner.

Topo sur l'indice glycémique de certains aliments

Fruits et légumes

Très élevé
Aucun

Élevé
Banane
Raisins secs
Betteraves

Moyen
Cantaloup
Raisins
Orange
Jus d'orange
Pêche
Ananas
Pastèque

Faible
Pomme
Abricot
Asperge
Brocoli
Choux de Bruxelles
Chou-fleur
Céleri
Cerises
Concombre
Pamplemousse
Haricots verts
Poivrons verts
Laitue
Champignons
Oignons
Prunes
Épinards
Fraises
Tomates
Courgettes

Grains, nuts, legumes

Très élevé
Sucre raffiné
La plupart des céréales de déjeuner (p. ex, Grape-Nuts, Corn Flakes, Raisin Bran, etc.)
Gâteau de riz
Granola

Élevé
Bagel
Pain (farine blanche)
Carottes
Maïs
Barre de granola
Haricots
Muffin (au son)
Pommes de terre
Bretzels
Riz
Tortilla

Moyen
Avoine
Pâtes
Pois
Pain pita
Haricots Pinto
Pain de seigle
Pain aux grains entiers
Patate douce

Faible
Lentilles
Noix
Pépins

Une échelle encore meilleure

L'indice glycémique ne nous renseigne pas sur *la quantité* d'aliment glycémique contenue dans une portion traditionnelle. Pour le savoir, vous devez jeter un coup d'œil à la charge glycémique (CG). La CG est déterminée en multipliant l'IG par la quantité de glucides disponible dans un aliment donné. Par exemple, la betterave est un aliment riche en IG, mais faible en CG. Bien que les glucides contenus dans la racine de betterave aient un IG élevé, il n'y en a pas beaucoup. Par conséquent, une portion typique de betteraves cuites a une charge glycémique relativement basse (à peu près de 5).

Une CG de 20 ou plus est élevée, une CG contenue entre 11 et 19 est moyenne et une CG de 10 ou moins est faible. Même si la nourriture est riche en IG, une personne qui mange des portions raisonnables contenant des aliments à faible charge glycémique aura un taux du sucre dans le sang plus faible. Les aliments qui contiennent essentiellement de l'eau (pomme, pastèque, céleri), des fibres (racine de betterave, carotte) ou le maïs soufflé ont un indice glycémique élevé. Cependant, ils ne feront pas monter votre taux de sucre dans le sang si vous consommez des portions raisonnables. Au final, c'est la quantité de charge glycémique qui détermine si un aliment est un bon apport en féculent.

Laissez-moi vous présenter un phénomène étonnant : PGX^MD a la capacité remarquable de réduire à la fois l'indice glycémique et la charge glycémique des aliments, surtout ceux qui ont un IG-CG naturellement élevé. Ce n'est évidemment pas une raison pour en consommer davantage. Ayez au quotidien une consommation d'aliments faibles en glycémie et réduisez la consommation de ceux qui sont riches en glycémie. En complément, ajouter du PGX^MD. Pour obtenir plus de détails et une liste des aliments classés selon leur IG et leur CG, veuillez consulter le livre de Dr. Murray et Dr. Lyon : *Hunger Free Forever*, publié par Atria Books.

Semaine 3 Éliminer la télévision

JOUR 15

Actions> (1) Continuer à augmenter votre apport journalier en eau ; (2) Substituer la nourriture saine à votre *vice alimentaire.*

Cela peut paraître bizarre qu'un programme de perte de poids fasse référence et se concentre sur la télévision, mais cela rejoint la définition d'**une action habituelle qui vous empêche d'atteindre et de maintenir un poids sain**. Les heures que vous passez devant la télévision vous empêchent de faire des choses productives, comme utiliser votre imagination pour arriver à avoir de nouvelles idées, de nouvelles inventions, de nouvelles approches, de nouvelles techniques, de nouvelles solutions à vos propres problèmes ou à une situation donnée (ou bien même les problèmes plus généraux).

Il est possible que la télévision crée aussi une dépendance, tout comme certains aliments disponibles. Pourquoi regardons-nous la télévision quatre heures par jour ? Il y a plein d'autres choses excitantes, fascinantes, exaltantes, et productives que nous pourrions faire. Je ne dis pas que vous devez supprimer entièrement la télé, mais qu'il vous faut l'utiliser plus judicieusement et peut-être vous mettre à faire du sport pour brûler des calories.

Ajouter de l'exercice physique à vie

Pour améliorer votre santé et votre niveau de forme physique, il est nécessaire d'incorporer de l'*exercice physique* dans votre vie. Vu que votre action cette semaine se porte sur la télé et que vous vous dirigez vers un mode de vie sain et en bonne forme vous devez commencer par introduire une nouvelle règle : **pas de télé à moins que vous ayez déjà fait ou soyez en train de faire de l'exercice physique**.

Cela ne veut pas dire qu'à chaque fois que vous voulez regarder la télé, vous êtes obligé de faire du sport. Cela veut dire tout simplement que si vous allez regarder la télévision, il faut que vous ayez fait de l'exercice physique.

Faire de l'exercice physique doit faire partie de votre vie pour que vous soyez en forme et en bonne santé.

Une des façons les plus simples pour commencer à faire de l'exercice (ou pour augmenter le temps que vous passez à faire de l'exercice) est de le faire pendant que vous regardez la télé. Si vous avez « rendez-vous » avec une émission télé que vous aimez regarder régulièrement, pourquoi ne pas faire quelque chose pendant que vous la regardez ? Si cela vous est possible, allez à votre salle de sport et marchez, trottinez ou courez sur la machine (selon votre niveau physique et votre niveau de santé) pendant que votre émission favorite passe. Ainsi, vous n'aurez pas besoin d'abandonner la télévision et vous pourrez vous concentrer sur quelque chose de divertissant tout en faisant de l'exercice.

Une méthode facile pour faire de l'exercice

Même si vous faites déjà de l'exercice physique ou que vous suivez un programme d'exercice, il est important que vous lisiez cette section et que vous appliquiez son contenu. La plupart des gens sont intimidés par le sport ou déteste en faire. Pourquoi ? Parce que ça a l'air trop difficile. La solution est de trouver le type d'exercice qui vous convient et faire en sorte que vous l'appréciez.

Si vous avez essayé de faire un genre d'exercice physique puis avez arrêté, c'est peut-être parce que vous le trouviez trop douloureux ou trop compliqué. Si c'est le cas, le problème n'était donc pas vous, mais plutôt la méthode utilisée. Nous commençons trop souvent un nouveau programme d'exercice physique, une nouvelle machine ou une nouvelle technique et quelques jours après abandonnons tout ça parce que nous en avons fait trop et trop rapidement. Vous ne pouvez pas développer l'habitude de faire régulièrement du sport si vous ne commencez pas à un niveau qui vous est confortable et appréciable.

Il est important de connaître son niveau de forme physique et ses conditions de santé pour pouvoir déterminer l'exercice avec lequel vous devez commencer et pour comprendre ce qu'il vous faut faire pour atteindre le niveau de forme physique que vous désirez. L'appendice I qui suit, décrit les niveaux de forme physique. Pour l'instant, il vous suffit de dire que votre objectif est de bouger au moins trois fois par semaine. Vous pouvez marcher, prendre un cours au Y ou un cours de gym, ou faire de l'exercice physique à la maison grâce à votre vidéo sportive préférée. Vous devez évidemment consulter votre médecin avant de vous engager dans une activité sportive.

Surmonter le « facteur d'arrêt »

Écouter de la musique tout en faisant de l'exercice est une bonne façon de rester concentré. Le battement de la musique vous aidera à garder l'allure et à bouger. La musique peut aussi servir de blocage contre ce que j'appelle « le facteur d'arrêt » ou contre toutes les choses qui vous donnent envie d'arrêter.

Après quelques minutes d'exercice, lorsque votre cœur commence à battre plus vite, que votre respiration s'intensifie et que vous commencez à transpirer, votre esprit pourrait commencer à flâner. Vous pourriez commencer à penser à d'autres choses, oubliant l'endroit où vous êtes et ce que vous faites. En continuant, vous pouvez sentir votre cœur battre encore plus fort et plus vite et votre transpiration s'accentuer car votre corps se réchauffe. Votre esprit peut flâner un peu, menant au facteur d'arrêt, comme par exemple la peur de se faire mal, devenir anxieux et avoir une sensation d'insécurité dans un environnement physique qui ne vous est pas familier ou simplement parce que vous ne vous sentez pas en forme et autodéterminé pour pouvoir continuer. Les pensées négatives peuvent vous perdre en vous incitant à faire quelque chose d'autre. Cependant, sachez que ces pensées résultent seulement d'un mécanisme psychologique. Votre corps étant dans une situation de stress (du bon stress), ce dernier s'enclenche pour que votre cerveau reçoive du sang fraîchement oxygéné, ce qui vous fera penser encore plus !

Attention: *Si vous vous sentez faiblir ou que vous êtes essoufflé, ralentissez et relaxez-vous pour pouvoir reprendre votre souffle. Ne repoussez pas vos limites.*

Certaines personnes arrêtent de faire de l'exercice juste après avoir commencé. C'est une sorte d'autodéfense pour éviter d'être « surmené ». Si vous vous arrêtez, vous allez tout quitter avant même de vous avoir donné la chance d'atteindre le niveau intéressant, celui où l'on brûle les calories et où l'on commence à se sentir bien. En écoutant de la musique grâce à des écouteurs ou à un casque, vous pouvez oublier votre fatigue et les distractions tout en vous concentrant sur le son de la musique (ou de la télé). Si vous pouvez utiliser des écouteurs pour écouter la télévision ou la musique tout en faisant de l'exercice, vous verrez que vous pourrez tenir vingt, trente, quarante-cinq minutes ou plus sans vous arrêter. Mettez toutes vos chansons préférées sur un disque ou téléchargez-les sur votre iPod pour plus de facilité.

Rappelez-vous, il ne faut pas en faire trop. En effet, je vous pris de ne pas trop en faire ! Au contraire, je suis en train de vous montrer les barrages psychologiques que vous pourriez mettre en travers votre chemin pour éviter de faire de l'exercice. Ne pensez pas que vous ne pouvez pas le faire tout simplement parce que vous n'aimez pas ça (au début) !

Semaine 3 en perspective

Il est important que vous consacriez et planifiez au moins trois jours à une activité physique cette semaine. Tout d'abord, assurez-vous de choisir une activité appropriée à votre forme physique et à votre état de santé actuel (voir Appendice I, page 189). Ensuite, il vous faudra décider quand et combien de jours il vous convient le mieux de le faire au cours de cette semaine. Décidez combien de temps il vous faudra pour vous dépenser. Ici, la clé est de débuter avec un programme qui soit raisonnable et réalisable. Vous pourrez au fur et à mesure du temps augmenter la durée, l'intensité et la fréquence des séquences.

Si vous allez déjà au gymnase pour essayer de perdre les 20 livres en trop qu'il vous reste, c'est que vous avez de l'avance. Il est néanmoins important que vous suiviez ce programme en entier car vous voulez bien plus qu'une réussite temporaire. Vous voulez un changement à long terme, un changement qui est possible grâce à l'adoption de nouvelles habitudes dans votre routine, pour que ces 20 livres de trop ne soient plus qu'un mauvais souvenir.

affirmation positive quotidienne

J'ai hautement confiance en mes capacités et en moi-même. Je suis reconnaissant(e) pour toutes les opportunités que chaque jour nous donne. J'accueille la santé optimale dans ma vie !

JOUR 16

Actions> (1) Emporter une bouteille d'eau avec vous et continuer à boire beaucoup d'eau ; (2) Substituer la nourriture saine à votre *vice alimentaire* ; (3) Remplacer le temps sédentaire passé devant la télé par de l'exercice physique.

Vous avez à présent éliminé les boissons gazeuses et les autres boissons riches en sucre de votre régime et les avez remplacés par de l'eau. Vous avez également éliminé le pire des aliments ou l'aliment (ou repas) le plus calorique que vous consommiez. Enfin, vous avez commencé à introduire une activité physique dans votre mode de vie. Ce sont les trois actions les plus significatives pour pouvoir mesurer votre état de forme physique et votre santé. Ces trois habitudes vont et peuvent faire ricocher sur d'autres aspects de votre diète et de votre vie comme vous pourrez le remarquer dans quelques semaines. Cette semaine, vous devez vous efforcer d'aménager des temps consacrés à une activité physique.

Faire en sorte que l'exercice physique devienne une habitude

Si vous n'avez jamais pris le temps de faire de l'exercice, ou en aviez rarement fait, la mesure la plus importante que vous pourriez prendre *dès maintenant* est de définir un calendrier. Fixez-vous un moment dédié à l'exercice physique pour que vous sachiez que vous avez mis une heure de côté, et cela trois fois cette semaine. Faites-en ainsi et vous verrez que vous prendrez l'habitude de réserver une heure par jour en moyenne pour faire de l'exercice. Faites en sorte que cela devienne une nouvelle habitude : une fois que votre calendrier sera fixé, tenez-le. Écrivez-le dans votre emploi du temps, faites que cette activité fasse partie intégrante de votre journée.

Trouver un partenaire...

Il y a plusieurs avantages a être à deux lorsque l'on fait du sport, que ce soit avec un(e) ami(e) de longue date ou une simple connaissance faite dans votre cours de sport. Il est plus facile de faire de l'exercice lorsqu'on a quelqu'un avec qui marcher, parler et que l'on se concentre ensemble sur le but que l'on s'est fixé. De plus, si vous avez rendez-vous avec quelqu'un pour marcher ou pour participer à un cours de sport, vous aurez plus de chance d'y aller car vous ne voulez ni décevoir cette personne ni vous laisser-aller.

Un partenaire sportif

- vous tient responsable
- vous accompagne
- vous aide à être motivé
- apporte de la compétition
- vous inspire la réussite
- donne de nouvelles idées
- soutient un mode de vie sain
- désir un but commun
- célèbre votre réussite
- Et bien sûr, c'est **réciproque** !

Lorsque l'on est à deux ou à plusieurs pour travailler, pour faire du sport ou pour s'efforcer à atteindre un but, les efforts individuels sont plus faciles. Si vous n'avez pas l'état de santé et un niveau physique approprié pour faire partie d'un cours de gym pour l'instant, commencez par vous imaginer que vous faites partie de ce groupe. Imaginez comment il peut être avantageux d'avoir des personnes à vos côtés (et inversement) pour atteindre un niveau de santé optimal.

Transition pour une remise en forme

Pendant que vous vous efforcerez d'adopter cette troisième habitude dans votre mode de vie, rappelez-vous qu'une transition appropriée est nécessaire pour créer une habitude. Bilan des trois composants nécessaires pour que l'exercice physique fasse partie de votre vie :

1 Choisissez des exercices physiques en fonction de vos capacités physiques et de votre état de santé.
2 Organisez des moments d'exercice physique.
3 Augmentez progressivement la fréquence, la durée et l'intensité des exercices.

affirmation positive quotidienne

J'ai hautement confiance en mes capacités et en moi-même. Je suis reconnaissant(e) pour toutes les opportunités que chaque jour nous donne. J'accueille la santé optimale dans ma vie !

JOUR 17

Actions> (1) Emporter une bouteille d'eau avec vous et continuer à boire beaucoup d'eau ; (2) Substituer la nourriture saine à votre *vice alimentaire* ; (3) Remplacer le temps sédentaire passé devant la télé par de l'exercice physique.

Vous devriez dorénavant sentir les changements physiques et psychologiques liés aux deux premières actions. Cette semaine, vous devriez commencer à faire de l'exercice physique pour la toute première fois ou du moins pour la première depuis longtemps. Quoi qu'il en soit, tout ce que vous devez faire maintenant, c'est aller toujours plus loin car il n'y a pas de retour possible. Si vous avez échoué quelque part auparavant, vous ne devriez plus avoir à vous forcer pour réussir aujourd'hui. Continuez à rester concentré sur les actions qu'il vous faut accomplir aujourd'hui et aujourd'hui seulement, tout en visualisant une vie en pleine forme, vigoureuse et sans maladie.

Cette semaine est dédiée à la suppression de l'habitude de regarder la télévision en faveur de l'exercice physique. Réduire le temps passé devant la télé est aussi un moyen de ne pas être exposé aux mauvaises nouvelles qui vont inévitablement affecter négativement votre humeur.

En remplaçant la télé par de l'exercice vous allez :

1 limiter l'exposition aux mauvaises nouvelles ;
2 fournir à votre cerveau un sang mieux oxygéné ;
3 provoquer le déclenchement d'endorphines et d'enképhalines* dans votre organisme.

Lorsque vous faites une activité physique constante pendant au moins trente minutes, votre cœur battra un peu plus vite et un peu plus fort, puis votre respiration augmentera en volume et en fréquence. C'est la façon dont votre corps approvisionne vos muscles, vos organes, et les tissus qui vont maintenir votre effort en oxygène (parmi d'autres choses). Finalement, les endorphines et les enképhalines (le premier plus tôt, le second plus tard) sont délivrées dans votre circulation sanguine, ce qui, grâce à leur *propriété analgésique (soulagement de la douleur)*, engendrera une sensation de bien-être.

*Les neurotransmetteurs qui sont délivrés dans votre organisme et qui empêche le signal de la douleur d'atteindre le cerveau.

Nouvelles directives

En 2005, le Département de l'Agriculture des États-Unis (USDA) révéla ses nouvelles directives pour manger sainement et maintenir une bonne santé. Sans rentrer dans les détails, la directive qui ressort le plus parmi les changements à effectuer, indique qu'il faut faire plus d'exercices physiques. L'USDA recommande de faire au moins trente minutes d'exercice physique chaque jour et, si l'on veut perdre du poids, d'en faire entre 60 et 90 minutes par jour.

Les directives générales sur l'exercice physique ont changé parce que nous sommes devenus plus sédentaires au cours des vingt dernières années. La seule façon de compenser le temps passé assis est de passer plus de temps à faire de l'exercice physique prolongé.

Dans le programme de la diète coupe-tentations, le but est de consacrer au final trente minutes par jour pendant au moins cinq jours chaque semaine à une activité sportive. Si, comme recommandé dans ce programme, vous faites de l'exercice pendant un certain temps sans interruption, vous vous garantissez une meilleure santé. Bien que l'exercice physique procure de nombreux avantages pour la santé, rappelez-vous qu'ils n'apparaîtront pas en une nuit.

Quel que soit votre état de santé ou votre niveau de forme physique, si vous ne ressentez pas l'envie de faire de l'exercice, levez-vous et allez marcher dix minutes. Vous pouvez toujours augmenter la durée et/ou la distance parcourue quand vous aurez l'habitude d'incorporer une activité physique dans votre routine quotidienne.

Utiliser un pédomètre

Le pédomètre digital est un instrument facile et pratique à utiliser pour vous aider à contrôler votre activité physique. Il mesure les nombres de pas que vous faites chaque jour. Il est léger et il peut s'attacher à votre ceinture ou à la boucle de votre ceinture.

Porter son pédomètre, c'est comme avoir un entraîneur personnel qui vous indique immédiatement les résultats de votre activité sportive. C'est une bonne façon de savoir si vous effectuez le nombre de pas recommandé et/ou les trente minutes d'activités physiques recommandées par le Chef des services de santé des États-Unis. Les études montrent qu'un pédomètre permet de prendre conscience de l'exercice accompli et de se rendre compte du montant total de l'activité physique quotidienne. Portez-le quelques jours pour établir une référence, c'est-à-dire pour voir combien de pas vous réalisez au cours d'une journée normale. Ensuite, faites seulement l'effort d'augmenter ce résultat de 10 % par semaine.

Le pédomètre est vraiment le meilleur instrument pour que vous preniez pleinement conscience de l'exercice physique que vous faites. Je considère cet appareil comme essentiel et indispensable.

---

affirmation positive quotidienne

J'ai hautement confiance en mes capacités et en moi-même. Je suis reconnaissant(e) pour toutes les opportunités que chaque jour nous donne. J'accueille la santé optimale dans ma vie !

JOUR 17

Actions> (1) Emporter une bouteille d'eau avec vous et continuer à boire beaucoup d'eau ; (2) Substituer la nourriture saine à votre *vice alimentaire* ; (3) Remplacer le temps sédentaire passé devant la télé par de l'exercice physique.

J'ai remarqué qu'à ce stade, il y a beaucoup de gens qui commencent à douter de leur capacité à éliminer définitivement leurs vices diététiques. Ils pensent : « si j'en ai rien qu'un peu, ce n'est pas si grave, ça ne me détournera pas du droit chemin ». Laissez-moi-vous dire tout de suite qu'un petit peu va vous détourner du droit chemin. Le problème avec cette façon de penser (du moins, à ce stade du programme), c'est que vous n'avez même pas eu le temps d'apprendre à vivre sans cet (ces) aliment(s), cette (ces) boisson(s) que vous voulez déjà tout abandonner.

Un besoin ou un désir

À chaque fois que vous pensez avoir le droit de prendre un ______________ ou un petit peu de ___________(remplissez l'espace blanc), alors posez-vous la question suivante, « est-ce quelque chose que je désire ou quelque chose dont j'ai *besoin* ? » Vous découvrirez que vous le désirez plutôt que vous en avez besoin. C'est la partie « **qui aime bien, châtie bien** » de ce programme. Vous allez devoir tenir vos résolutions pour vous débarrasser définitivement de ce qui est malsain afin d'atteindre un état de santé optimal. Les étapes de ce programme font en sorte que vous avanciez dans cette direction. Encore une fois, tous les jours, alors que vous continuez ce programme demandez-vous :

1. Est-ce un ***besoin*** ou un ***désir*** ?
2. Est-ce que cela va avoir un impact positif ou négatif sur mon état de santé ?

Vous pouvez vous épargner de la souffrance si vous vous référez à ces questions lorsque vous faites un choix. Vous verrez qu'au final, vous désirerez ces choses dont vous avez besoin ! C'est le mode de vie que vous vous efforcez d'avoir. Votre esprit, votre corps et votre spiritualité seront plus équilibrés et plus motivés à rechercher constamment ce qui est bon.

Faisons un rappel des trois raisons importantes pour lesquelles il est nécessaire de suivre la règle selon laquelle vous ne pouvez pas regarder la télévision sans avoir fait au préalable de l'exercice :

1 Si vous pensez pouvoir continuer à faire ce que vous avez toujours fait tout en ayant un résultat différent, vous allez être déçu. Si vous parcourez le même chemin semé d'embûches qui crèvent vos pneus tous les jours, il faut vous attendre au même résultat négatif si vous ne changez pas de voie.
2 Si vous vous installez confortablement devant votre émission télé favorite, cela peut vous inciter à rester deux heures devant la télévision. En restant fidèle à la règle « **pas de télé sans avoir fait au préalable de l'exercice** » vous éviterez ce piège.
3 Classez vos priorités du plus petit au plus grand selon leur importance. Sur cette échelle, vous devez classer l'exercice physique et la santé avant la télé. Si vous souhaitez atteindre d'autres objectifs (sociaux, financiers, spirituels, personnels, politiques, ou autres) et pensez que l'exercice physique est secondaire, vous perdrez surement *beaucoup* d'opportunités et gagnerez bien des choses indésirables.

Programmation

Programmer des repas à l'avance est un moyen d'éviter des choix malsains. Il y a trois choses à programmer à ce stade : (1) assurez-vous d'avoir toujours assez d'eau avec vous ; (2) achetez de la nourriture saine et déterminez si c'est pour votre collation, votre repas ou à emporter au travail ; (3) vous devez savoir à l'avance quel exercice physique vous devez accomplir et à quel endroit vous le ferez. Avoir un programme en place sera une aide précieuse pour atteindre vos objectifs, et pour rester dans le droit chemin !

Pour évaluer vos progrès et tenir votre programme, faites un emploi du temps par jour et notez ce qu'il vous faut accomplir tous les jours et pour toute la semaine. En plus des mesures que vous prenez pour perdre du poids, remplissez toutes les cases vides de votre emploi du temps en y inscrivant les corvées, les tâches et tous les projets que vous devez achever, que ce soit pour la maison, le travail, la famille et ainsi de suite.

Utiliser un emploi du temps par jour vous donnera un aperçu de ce que vous faites de votre temps et si éventuellement vous avez plus de temps libre au cours de la journée que vous n'auriez pensé. J'entends souvent les gens me dire qu'ils n'ont pas le temps d'aller à la gym. Ma réplique est souvent, « vous devez y aller ». Le temps est précieux et il ne faut pas le gâcher en ayant un mode de vie malsain ou en faisant des choix malsains. Enlevez l'incertitude de votre emploi du temps. Écrivez ce que vous *devez* accomplir aujourd'hui, ce que vous avez *besoin* d'accomplir aujourd'hui, ce que vous *voulez* accomplir aujourd'hui et enfin, quand vous pensez accomplir chaque chose. Vous saurez ensuite quel est l'ampleur de votre engagement pour toutes les tâches de votre liste. Grâce à cette méthode, à la fin du mois, vous ne serez pas obligé de monter sur la balance pour évaluer vos progrès, vous pourrez tout simplement l'estimer en vérifiant si vous avez accompli toutes les choses saines que vous aviez programmées tous les jours au cours du mois qui vient de s'écouler. De cette façon, vous vous tiendrez responsable d'avoir accompli toutes les étapes de ce programme et celles des autres aspects de votre vie.

---

affirmation positive quotidienne

J'ai hautement confiance en mes capacités et en moi-même. Je suis reconnaissant(e) pour toutes les opportunités que chaque jour nous donne. J'accueille la santé optimale dans ma vie !

JOUR 19

Actions> (1) Emporter une bouteille d'eau avec vous et continuer à boire beaucoup d'eau ; (2) Substituer la nourriture saine à votre *vice alimentaire* ; (3) Remplacer le temps sédentaire passé devant la télé par de l'exercice physique.

Aujourd'hui vous avez l'opportunité de prendre des mesures supplémentaires pour atteindre un mode de vie équilibré à plein temps et une forme physique optimale. Rappelez-vous, vous faites des changements qui vous permettent de développer un mode de vie équilibré, permanent et positif.

En faire moins pour pouvoir en faire plus

Une des plus grandes erreurs lorsque l'on fait de l'exercice et que l'on s'implique dans une activité sportive, est d'essayer d'en faire trop et trop vite. Si vous êtes très motivé pour perdre du poids et pour sculpter votre silhouette, vous pourriez vouloir vous lancer directement en vous inscrivant dans une salle de gym, en commençant à fréquenter des cours de boxe ou d'autres cours, ou vouloir utiliser toutes les machines de musculation. Malheureusement, cet enthousiasme peut créer un retour de flamme. Lorsque l'on commence un nouveau programme sportif, et que l'on essaie d'en faire trop, on encourt trois risques : se blesser, être endolori ou abandonner. Les inconvénients (les préjudices) d'en faire trop et trop vite l'emportent sur les avantages. Vous serez déçu si tout ce que vous récoltez d'une journée (ou même une semaine) de dure labeur est de la douleur et des blessures. De plus, si vous tenez compte des changements requis pour suivre un rythme si exigeant, vous vous mettez dans une situation d'échec.

Aussi, comment faire pour éviter de se lancer dans la course sans prendre le risque de s'épuiser ? En faire moins. La formule, en faire moins pour pouvoir en faire plus est plus valable lorsque l'on parle d'exercice physique. Si vous vous cantonnez à l'habitude des trente minutes d'exercice physique, vous aurez plus de chance de réussir sur le long terme. Si vous ne vous sentez pas de faire de l'exercice, alors faites juste ce que vous pouvez. Vous allez peut-être commencer par en faire plus lorsque vous en ressentirez les bienfaits.

Objectif : trente minutes par jour

Le premier objectif sportif que je vous recommande est une activité cardiovasculaire prolongée pendant trente minutes. Ce que cela veut dire, c'est que lorsque vous allez faire une promenade pendant votre pause déjeuner, votre but, dans quelques jours ou une semaine, sera de marcher pendant trente minutes sans vous arrêter. Si vous pouvez marcher seulement cinq minutes, il n'y a pas de problème, faites vos cinq minutes. Augmentez progressivement votre temps d'activité jusqu'à ce que vous atteigniez les trente minutes recommandées.

Les exercices cardiovasculaires se concentrent sur la bonne fréquence, la bonne intensité et la bonne durée en fonction de la technicité de l'exercice. Une définition simple d'un exercice cardiovasculaire est un exercice qui augmente vos battements cardiaques à un niveau qui vous permet toujours de parler, mais qui commence à vous faire transpirer. Vingt à trente minutes d'exercices cardiovasculaires sont suffisantes pour maintenir un niveau de forme physique optimal.

Tous les mouvements sont bons, même ceux qui sont faits lors des corvées (à la maison ou dans le jardin). Néanmoins, si votre but est de perdre du poids, il vous faudra faire un exercice cardiaque, et cela quatre jours ou plus par semaine pendant trente à quarante-cinq minutes ou plus. Le programme cardiovasculaire idéal débute par un échauffement de cinq à dix minutes et inclut des mouvements lents qui vont augmenter légèrement le rythme de vos battements cardiaques. Ensuite, passer progressivement à un exercice physique cardiovasculaire de votre choix, tel que l'aérobique, la course à pied sur la machine, ou de la marche. Marcher est probablement l'exercice physique qui s'accorde le plus aisément à tous les modes de vie. La marche est à la portée de tous, pas besoin d'un équipement spécial, ou d'une souscription, c'est l'exercice idéal. (Avant de commencer un programme diététique ou sportif, il vous faut évidemment consulter un médecin.)

L'exercice cardiovasculaire va vous permettre d'améliorer significativement votre forme physique s'il est pratiqué tous les jours. Aussi, le deuxième objectif est d'en faire **tous les jours** pendant trente minutes, six jours par semaine. À la fin du premier ou du deuxième mois, vous devriez être en mesure d'appliquer ce deuxième objectif (en fonction de votre niveau de forme physique).

Rappelez-vous, s'y tenir est aussi important que de faire ses trente minutes. Si vous ratez une journée, ne vous culpabilisez pas. Il vous faut simplement aménager un moment pour rattraper cette journée. Seule l'accumulation des exercices physiques au fil des jours vous permettra de perdre du poids, de vous remettre en forme et d'obtenir un corps sain.

S'il ne vous est pas permis d'avoir « juste une bouchée » lorsque vous essayez d'éliminer vos vices, il en va de même pour l'exercice physique. Vous ne pouvez pas repousser à plus tard ce que vous devez faire aujourd'hui. Faites en sorte que l'exercice physique soit aussi important et nécessaire dans votre vie que de dormir, parce que ça fera bouger les choses. Vous n'avez pas besoin de jours de repos entre vos jours d'exercice cardiovasculaire contrairement à la musculation. Idéalement, votre corps doit faire des mouvements cardio tous les jours.

Préoccupations courantes

La plupart des gens sont préoccupés lorsqu'ils font de l'exercice. Certains s'inquiètent de leurs apparences lorsqu'ils vont à la salle de sport. Rappelez-vous, **vous n'êtes pas votre corps**. En d'autres mots, vous avez un corps et si vous perdez un membre, votre corps prendra moins de place, certes, mais cela ne veut pas dire que vous seriez moins épatant(e). Votre poids fait partie de vous, mais vous y travaillez.

Certaines personnes se soucient du temps, de transpirer pendant la journée, d'avoir le bon équipement, du bon environnement et de la température idéale, et bien plus. Ce qu'il faut faire ici, c'est se concentrer sur *la méthode* pour ne pas penser *ne pas pouvoir* le faire. Prenez des initiatives, et faites votre activité physique quotidienne. Si cela est nécessaire, mettez-vous d'abord en condition. Rappelez-vous qu'il vous faut parcourir une étape à la fois pour atteindre votre objectif.

---

affirmation positive quotidienne

J'ai hautement confiance en mes capacités et en moi-même. Je suis reconnaissant(e) pour toutes les opportunités que chaque jour nous donne. J'accueille la santé optimale dans ma vie !

JOUR 20

Actions> (1) Emporter une bouteille d'eau avec vous et continuer à boire beaucoup d'eau ; (2) Substituer la nourriture saine à votre *vice alimentaire* ; (3) Remplacer le temps sédentaire passé devant la télé par de l'exercice physique.

Puisque vous vous concentrez cette semaine sur la pratique de l'exercice physique, il est important d'en trouver un qui vous soit agréable et que vous pouvez introduire dans votre quotidien. Si vous marchez trente minutes par jour sur une machine, vous allez développer un certain degré de confiance et accroître vos capacités. Vous n'aurez plus besoin de vous demander ce qu'il vous faut faire et quand le faire. Votre vie en deviendra plus fluide. En vous obligeant à programmer un temps d'exercice physique et à vous engager dans un type d'exercice particulier, vous éviterez les devinettes et vous vous rendrez responsable parce que vous aurez planifié un moment d'exercice et aurez déjà choisi le type d'exercice que vous voulez faire. Rappelez-vous, une raison qui explique l'épidémie d'obésité est la difficulté que nous avons à changer nos habitudes. Changer les choses aussi simplement que possible n'est-il pas une des meilleures façons de faire ? Du moins au début ?

Maîtriser un exercice physique

La raison pour laquelle il vous faut choisir un bon exercice cardio est de faire en sorte que vous le maîtrisez. Si vous marchez de manière constante pendant trente minutes sans vous arrêter, vous pourrez au final vous lancer des défis, comme par exemple, augmenter l'intensité, la durée ou la distance parcourue. La plupart des équipements sportifs ont un mode de programmation qui vous permettra de mesurer vos progrès et vous aidera à comprendre quand et comment augmenter votre effort. Les machines peuvent vous surmener au début. Par conséquent, essayez de ne pas trop en faire et demandez à l'un des entraîneurs de la salle de gym de vous montrer comment s'en servir. Ils sont là pour ça.

Tous les facteurs d'exercices, le temps, le type d'exercice, des vêtements et des chaussures de sport confortables vont vous pousser à avancer. Plus vous en ferez, plus cela fera partie de votre routine.

Essayez quelques exercices différents cette semaine ou prenez des cours tels que body pump, séances de step, ou même de la boxe. Néanmoins, à la fin de la semaine, choisissez *l'exercice* sur lequel vous concentrerez vos efforts. Après avoir acquis la *maîtrise d'un exercice*, (et cela ne prendra pas autant de temps que vous ne le pensez), vous aurez la confiance nécessaire pour essayer d'autres exercices physiques, sans mentionner les autres activités que vous avez toujours voulu essayer ou faire dans d'*autres parties de votre vie*. C'est toujours une bonne idée de changer d'exercice habituel de temps en temps pour éviter l'ennuie ou de se sentir trop confortable en faisant toujours la même chose.

Lorsque je dis *maîtriser*, je ne dis pas que vous deviendrez un champion de classe ou un athlète professionnel, je dis plutôt que vous obtiendrez un certain degré de confiance et de compétence lorsque vous pratiquerez cette activité.

Maîtriser un exercice physique *implique*

1. Connaître l'exercice que vous pratiquez ;
2. Se familiariser avec l'utilisation de l'équipement dont vous avez besoin ;
3. Avoir les vêtements appropriés en fonction des conditions ;
4. Connaître le niveau d'intensité pour que vous restiez dans la fourchette idéale de battement de cœur ;
5. Un moment programmé et un lieu approprié où se pratique normalement ce type d'exercice ;
6. Avoir la capacité de le pratiquer sur un temps continu pendant au moins trente minutes ;
7. En faire au moins trois fois par semaine sur trois semaines continues.

Abordez l'exercice physique en ayant la conviction que vous allez en apprendre plus sur lui, c'est-à-dire *ce qu'il est, comment le faire, où et quand*, pour pouvoir le maîtriser. Après cela, vous pourrez en savoir d'avantage sur les autres types d'exercices et leurs options. De cette façon, vous vous engagez à 100 % dans un mode de vie équilibré, et cela à long terme.

affirmation positive quotidienne

J'ai hautement confiance en mes capacités et en moi-même. Je suis reconnaissant(e) pour toutes les opportunités que chaque jour nous donne. J'accueille la santé optimale dans ma vie !

JOUR 21

Actions> (1) Emporter une bouteille d'eau avec vous et continuer à boire beaucoup d'eau ; (2) Substituer la nourriture saine à votre *vice alimentaire* ; (3) Remplacer le temps sédentaire passé devant la télé par de l'exercice physique.

Il y a de nombreuses façons pour avoir un aperçu des progrès que vous avez réalisé jusqu'à présent. Même si vous peser est la solution la plus courante, je la considère comme la pire de toutes et c'est une façon qu'il vous faut éliminer. Il est facile de saboter tous ses efforts en se pesant trop souvent et de se décourager lorsque que l'on ne note pas d'amélioration au quotidien. La façon dont vous vous sentez en générale et dans vos vêtements, mais aussi le fait que vous teniez bon ce programme sont de meilleurs indicateurs pour mesure votre réussite.

Où en êtes-vous à présent ?

- Comment je ressens mes progrès à ce stade ?
- Comment mon corps se sent-il par rapport au moment ou j'ai commencé ?
- Est-ce que je peux en faire plus pour avancer après ce que j'ai fait jusqu'à maintenant ?
- Est-ce que c'est quelque chose que je peux faire pour le restant de ma vie ?
- Est-ce que je me sens privé ou encouragé ?

Ces questions vous aideront à rester dans le droit chemin et vous rendront responsable de vos bonnes actions. Si vous vous sentez privé, c'est que vous avez besoin d'établir à nouveau la liste des bienfaits que vous avez gagnés et ce que vous laissez derrière vous. Vous en faites peut-être trop et trop vite. Il vous faut alors ralentir la cadence pour pouvoir la maintenir et faire des progrès en continu. Si vous avez l'impression que vous n'avez pas fait de progrès, c'est bien ! Pour l'instant, ne vous souciez pas de vos résultats, que vous en ayez des supers ou non. Si vous avez l'impression que vous pouvez continuer à faire ce que vous avez fait tous les jours jusqu'à présent, c'est très bien.

Faire le point

Si vous aimez avoir une mesure physique, ou un aperçu chiffré de ce que vous avez fait jusque là, vous pouvez compléter le tableau qui suit :

Le nombre de jours où j'ai ...

1	Bu de l'eau	_____	(21 max)
2	Supprimé mon *vice alimentaire*	_____	(14 max)
3	Mangé des substituts sains	_____	(14 max)
4	Fait du sport avant de regarder la télé	_____	(5 max)
5	Accompli les actions quotidiennes	_____	(21 max)

Additionnez vos points et regardez où vous en êtes.

Un total de point de :

65–75	**Excellent** – vous êtes très impliqué et faites de bons choix et des changements positifs ;
55–64	**Bien** – encore un petit effort et vous aurez des actions saines continues et cohérentes ;
45–54	**Moyen** – vous pouvez constater des résultats mais vous avez besoin d'être plus impliqué et de faire plus d'effort ;
Moins de 45	**Mauvais** – Il vous faut revoir vos objectifs et votre concentration ; vous avez besoin de vous efforcer à maîtriser ces trois actions seulement ; continuez cette partie du programme une ou deux semaines de plus avant d'avancer.

Semaine 3 : Bilan

Vous tirerez des avantages à faire du sport si vous commencez à introduire dans votre mode de vie au moins trente minutes d'exercice *tous les jours. Notez comment ces nombreux avantages peuvent venir aider votre état de stress physique et psychique.*

Faire de l'exercice régulièrement pourra probablement...

- Augmenter l'apport en oxygène de votre corps
- Aider votre cerveau à être mieux oxygéné
- Élever votre métabolisme
- Augmenter votre endurance
- Réduire votre cholestérol
- Réduire votre pression artérielle
- Réduire vos triglycérides (le gras)
- Réduire le risque de mourir prématurément
- Amoindrir les effets de l'âge
- Réduire le risque de développer un cancer du côlon
- Améliorer votre humeur
- Renforcer votre mémoire
- Réduire l'anxiété et la dépression
- Encourager la guérison du corps et de l'esprit

Tiré de Centers for Disease Control and Prevention ; *http://www.cdc.gov*

Récompensez-vous

Maintenant que vous avez achevé ces trois premières semaines, pourquoi ne pas vous accorder une récompense pour renforcer vos actions positives ? Se récompenser est un bon moyen de s'encourager à continuer de prendre des initiatives saines et positives qui vous permettront d'avancer vers un poids sain.

Récompenses de court-terme

- Visiter le zoo local
- Aller chez le coiffeur
- Prendre un long bain mousseux

- Aller faire une balade pittoresque à vélo
- Conduire vers un nouvel endroit et aller faire une marche
- Écouter de la musique relaxante et lire un livre
- Aller voir un film
- Louer un de vos vieux films favoris
- Lire un livre scientifique ou astrologique
- Aller se faire faire une manucure ou une pédicure
- Peindre dans une teinte vibrante les murs d'une pièce de votre maison
- Faire des rideaux pour redonner une nouvelle apparence à votre intérieur
- Acheter une nouvelle tenue
- Acheter une nouvelle paire de chaussures
- Apprendre à lire à un enfant
- Apprendre à coudre et coudre quelque chose
- Apprendre à faire de l'art plastique
- Faire du volontariat comme Grand frère ou Grande sœur
- Faire des biscuits pour les sapeurs pompiers du quartier
- Chanter ou jouer dans une maison du troisième âge
- Faire une bonne action
- Aller faire du parachutisme (ouah !)
- Aller visiter un musée d'art
- Aller se promener dans un parc
- Acheter un nouveau CD ou DVD
- Lire un livre et allumer une bougie parfumée
- Acheter une nouvelle bougie parfumée
- Commencer à aménager votre propre jardin
- S'inscrire à un cours dans un collège local
- Partager votre temps et vos trésors ou votre talent avec une association caritative
- Suivre un cours d'informatique (en ligne ?)
- Aller à l'opéra ou écouter une symphonie
- Vous envoyer des fleurs, anonymement !
- Adopter un animal domestique
- Étudier une seconde langue
- Aller à la bibliothèque et apprendre quelque chose de nouveau
- Commencer un nouveau sport
- Se mettre à faire du bricolage
- Prendre un cours de peinture

- Peindre une image
- Aller au parc et dessiner ; peigner
- Vous porter volontaire pour une cause
- Faire la distribution de nourriture avec l'armée du salut
- Travailler dans une soupe populaire

Récompenses par étape

- Passer une fin de semaine dans une chambre d'hôtes
- Passer une fin de semaine dans un spa
- Passer une journée à se faire pouponner et changer de style
- Acheter un nouveau bijou
- Acheter une nouvelle voiture
- Partir vers une destination exotique
- Visiter un lieu historique
- Aller faire du parachute (encore ? Oui !)
- Chanter l'hymne national (pas sous la douche)
- Louer un cheval, et faire du cheval toute une journée
- Faire une deuxième lune de miel
- Organiser une pièce en salle de sport
- Acheter de l'équipement pour faire une salle de gym à la maison
- Y ajouter une nouvelle piscine (pour s'exercer, évidemment)
- Faire un changement de carrière
- Lancer votre propre entreprise
- Essayer quelque chose qui ne vous a jamais intéressé auparavant
- Essayer de surmonter une peur que vous avez toujours eue
- Acheter une propriété à la campagne
- Acheter une Harley et la conduire !

Vous venez de terminer vos 21 premiers jours !

Tenez ces trois actions à partir de maintenant. Elles constituent une base sur laquelle vous allez développer votre nouveau mode de vie sain :

1. Beaucoup d'eau – éliminer les boissons riches en sucre
2. Supprimer votre vice – éliminer la nourriture malsaine
3. Faire de l'exercice régulièrement – réduire ou remplacer le temps passé devant la télé

Chapitre 6

Programme en cours
Semaines 4 à 12

Après les vingt-un jours passés, votre nouveau régime qui consiste à boire de l'eau, éliminer vos vices alimentaires, et faire de l'exercice doit commencer à devenir des habitudes saines et appréciables. Pendant les semaines à venir et au-delà de la douzième semaine, vous devriez vous concentrer constamment sur la maîtrise de ces trois habitudes.

Pendant les neuf prochaines semaines, vous allez avancer **chaque semaine d'une étape** vers un mode de vie sain et un niveau optimal de forme physique. Vous verrez que faire des changements bien accomplis les uns après les autres, sera la clé pour continuer à réussir.

Quand vous regarderez autour de vous, vous serez capable d'apercevoir les souvenirs physiques de votre changement de mode de vie. Quelques changements dans votre environnement peuvent être :

1. Un paquet de bouteille d'eau (déchiré avec quelques bouteilles en moins)
2. Des bananes, des petites carottes ou d'autres collations saines utilisées en tant que substituts sains
3. Des chaussures de sport, un baladeur ou un iPod, pour faire de l'exercice
4. Un emploi du temps qui contient un temps d'exercice physique – inscrit à l'encre !

Votre liste pourrait être légèrement différente, mais soyez tranquille, vous y ajouterez de plus en plus de choses au fur et à mesure que le temps passe et que les habitudes positives et saines fassent parties de votre vie.

Se construire un cercle santé

Je souhaiterais que vous visualisiez la force que vous créez dans votre vie en faisant des choix sains. Le pouvoir que confère une vie équilibrée et saine est plus facile à comprendre lorsque l'on vit avec. Vous gagnez une forme de contrôle et de confiance grâce aux choix que vous faites. Vous devenez plus efficace dans les autres domaines de votre vie et d'une certaine façon, vous êtes émotionnellement plus protégé qu'auparavant.

La confiance résulte du fait que vous vous savez en harmonie et plus équilibré mentalement, physiquement et même spirituellement. Ces trois aspects peuvent se traduire par de meilleures relations interpersonnelles, des conditions de travail améliorées, un meilleur salaire ou bien même de meilleures vacances. Vous voulez renforcer les parties qui **vous** définissent pour grandir intérieurement.

Sortir de votre zone de confort ou accroître ses possibilités exige *de penser au-delà de la routine* ou de votre *routine quotidienne*. Le cercle de la santé est une représentation de la force gagnée et des domaines potentiels améliorés. Ces derniers sont la conséquence d'une vie en bonne santé.

Le cercle de la santé

Les actions prisent en dehors de ce cercle sont celles qui ont une influence positive sur vous. Plus vous êtes fort et persévérez dans ces actions, plus votre cercle de la santé sera fort et plus vous pourrez vous épanouir dans chacun des domaines de votre vie.

Nouvelles actions et récompenses

Dans chaque semaine à venir de ce programme, vous trouverez une nouvelle action à accomplir.

En plus d'une action hebdomadaire, il y aura aussi une récompense chaque semaine pour renforcer les mesures que vous prenez. Se récompenser sera important et très utile dans le jeu de la vie, puisque dorénavant, vous êtes en train de gagner et de vous récompenser dans votre quête d'une meilleure santé ! Je vous ai déjà fait part des récompenses possibles. Utilisez-les ou créez les vôtres. Quoi qu'il en soit, **prévoyez une récompense** ou quelque chose de similaire à la fin de la semaine pour que vous puissiez vous préparer. Je suggérerais aussi que vous planifiez **une plus grande récompense** pour avoir achevé ce programme de douze semaines. Cela vous procurera encore plus d'excitation et vous incitera ainsi à poursuivre vos efforts afin d'atteindre votre objectif.

Le proverbe dit : « quand on veut, on peut ». En concentrant vos pensées sur ce qui est positif et sain, vous constaterez dans les prochaines semaines un grand nombre de choses positives et saines dans votre vie.

affirmation positive quotidienne

J'ai hautement confiance en mes capacités et en moi-même. Je suis reconnaissant(e) pour toutes les opportunités que chaque jour nous donne. J'accueille la santé optimale dans ma vie !

SEMAINE 4

Actions> (1) Suffisamment d'eau ; (2) Des substituts sains ; (3) Faire de l'exercice avant de regarder la télé ; (4) Visualiser un futur sain.

Cette semaine sera l'occasion pour avoir une maîtrise ferme sur la consommation d'eau et d'aliments sains, puis de faire de l'exercice. Pour gagner un mode de vie sain et harmonieux, il faut commencer par faire valoir votre engagement pour les trois actions décrites ci-dessus. Il faut essentiellement avancer en douceur vers votre objectif santé et vous éloigner d'une vie sans santé. Pour que cela marche encore plus efficacement, il vous faudra ajouter une action cette semaine : **visualiser**.

Au moment du couché, passez quelques minutes à penser sur la façon dont votre vie aura l'air lorsque vous serez en santé, heureux (se), en bonne forme et plein d'énergie et d'exaltation. Vous pouvez imaginer avoir une belle silhouette et avancer chaque jour à grands pas vers l'accomplissement d'une nouvelle étape. En imaginant un futur en bonne santé tous les soirs, cela revient à planter des graines dans votre cerveau. Ces graines contiennent ce dont vous aimeriez avoir l'air et la manière dont vous espérez profiter de votre vie. En faisant en sorte que votre esprit travaille durant la nuit, vous vous munissez d'un allié puissant dans votre quête d'une vie en bonne santé. Au cours de vos heures éveillées, votre corps ressentira le besoin d'exprimer ce que vous avez à l'esprit. Certes, il prendra du temps pour s'y habituer, mais réagira aux améliorations que vous venez de faire. Soyez patient et continuez à visualiser !

La vie d'une cellule

Votre organisme est constamment en train de changer et de travailler. Chaque cellule s'active à sa fonction comme il en a été déterminé génétiquement et est influencée à fonctionner dans son cadre environnemental*. Les cellules ont un temps de vie particulier, contrairement au vôtre. Certaines meurent prématurément à cause des dommages ou de l'usure du temps. D'autres vivent au-delà de leurs temps de vie habituel. D'autres encore vivent entre ces deux dernières. Les cellules se reproduisent pour devenir au final des déchets lorsque les nouvelles prennent le pouvoir. Par exemple, une cellule sanguine vivra entre 60 et 120 jours. Certains tissus de votre intestin peuvent être remplacés en une semaine ou moins. Dans le pancréas, le roulement de tissus peut prendre un an ou plus. Toutefois, le foie ne remplace pas en général ses cellules à moins qu'elles ne se rétrécissent en taille (dû à un dommage possible). Dans ce cas, les cellules vont se dupliquer (en fait se scinder) pour que le foie puisse retrouver sa taille normale. Certaines cellules de votre peau se scinderont seulement pour que celle-ci garde une certaine épaisseur.

*Toutes les informations de la cellule proviennent de HHMI.org – le *Howard Hughes Medical Institute* en ligne

Chaque cellule est programmée différemment et planifiée en fonction de son rôle dans l'organisme. En considérant les différents taux auxquels vos cellules se divisent et sont remplacées, votre organisme répondra de la meilleure façon qu'il soit aux habitudes prévisibles, saines, positives, constantes et répétitives.

Maintenant que vous avez fait des changements et que vous commencez à vivre sainement, assumons que votre organisme ne réponde pas suffisamment à vos actions (du moins, pas au niveau cellulaire), cela jusqu'à ce que les nouvelles cellules viennent remplacer les veilles. Vous aurez donc l'opportunité de faire des changements encore plus marquants que vous n'auriez pu réaliser si votre organisme remplace les veilles cellules malsaines par de nouvelles cellules tous les trois mois environ. En conséquence, il faut vous accorder plus de temps lorsque vous essayez de changer votre corps. La génétique et le bon fonctionnement des cellules vont constituer un frein inaltérable.

Au cours de la quatrième semaine, vous devriez noter une nette amélioration de votre niveau d'énergie par rapport à celui que vous aviez au début de ce programme. Si vous l'avez suivit correctement, vous pourriez trouver que votre mental est plus résistant. Si vous avez l'impression qu'il n'y ait pas eu d'amélioration jusqu'à maintenant, ne vous inquiétez pas. À ce stade, vous devriez avoir fait un emploi du temps quotidien et devriez l'utiliser pour suivre les actions que vous avez accomplies. Évaluez vos progrès en vous basant seulement sur le nombre d'actions que vous avez réussi à réaliser. Si vous avez introduit ces actions dans votre routine et les avez tenu jusqu'à maintenant sans pour autant avoir relevé des résultats, persévérez. Vous verrez des changements venir. Si vous avez atteint ou surpassé vos objectifs, assurez-vous d'avoir planifié une récompense pour avoir accompli les actions de cette semaine.

Faites le point – Le nombre de jours où j'ai…

1 Bu de l'eau _____ (7 max)
2 Supprimé mon *vice alimentaire* _____ (7 max)
3 Mangé des substituts sains _____ (7 max)

4	Fait du sport avant de regarder la télé	_____	(5 max)
5	Accompli les actions de tous les jours	_____	(7 max)
6	Prononcé mon affirmation quotidienne	_____	(7 max)

Ajoutez vos points et regardez où vous en êtes.

Un total de point de :

34–40	**Excellent** – vous êtes très impliqué et faites de bons choix et des changements positifs ;
27–33	**Bien** – encore un petit effort et vous aurez des actions saines continues et cohérentes ;
21–26	**Moyen** – vous pouvez voir des résultats, mais vous avez besoin d'être plus impliqué et de faire plus d'effort ;
Moins de 20	**Mauvais** – Il vous faut revoir vos objectifs et votre concentration ; vous avez besoin de vous efforcer à maîtriser ces trois actions seulement ; continuez cette partie du programme une ou deux semaines de plus avant d'avancer.

Objectif de la semaine :
Maîtriser les trois actions et visualiser un futur en santé

Récompense de fin de semaine :

SEMAINE 5

Actions> (1) Suffisamment d'eau ; (2) Des substituts sains ; (3) Faire de l'exercice avant de regarder la télé ; (4) Visualiser un futur sain ; (5) Ajouter un fruit ou un légume

Bienvenue à la semaine 5. Dorénavant, vous aurez fait de l'eau une habitude quotidienne et aurez éliminé complètement votre *vice alimentaire*.

Cette semaine, vous devez ajouter un morceau de fruit ou un légume à ce que vous mangez normalement au cours d'une journée. Si vous en avez ajouté un ou plus lorsque vous avez éliminé votre *vice alimentaire*, il vous faudra tout de même en ajouter un à votre régime quotidien cette semaine. Si vous ne mangez pas sainement lorsque vous prenez un goûté l'après-midi, ou quand vous prenez quelque chose à manger qui ne s'apparente pas à un repas complet, faites en sorte de le remplacer par un fruit ou un légume. Si vous mangez des collations qui sont déjà saines (peut-être que vous avez éliminé un vice-collation), il vous faut alors ajouter un fruit ou un légume au dîner ou au souper.

Les avantages d'un fruit ou d'un légume

Ajouter un fruit ou un légume à votre apport alimentaire quotidien vous aidera de nombreuses façons. La première, comme l'eau, réduira votre appétit. Si vous mangez un morceau de fruit avant de passer à table, vous n'aurai pas autant faim. Si vous voulez prendre un goûter dans l'après-midi, choisissez un morceau de fruit ou peut-être des petites carottes ou encore une tomate. Cela vous empêchera de vous jeter sur les aliments malsains. Les calories saines contenues dans un fruit ou un légume vous permettront de maintenir un niveau d'énergie satisfaisant tout en baissant votre appétit.

Évidemment, les fruits ne sont pas que de l'eau, mais ils apportent les mêmes bienfaits. En ajoutant un autre fruit ou un autre légume à votre régime, vous allez augmenter votre apport en eau. Notez que cela ne compte pas dans votre apport total quotidien. Cependant, les fruits et les légumes contenant beaucoup d'eau, en les consommant, vous vous apporterez de l'eau sous une forme différente, riche en vitamines et minéraux. Les régimes alimentaires américains manquent souvent de vitamines et/ou minéraux tirés des fruits et des légumes. Une portion de fruits ou de légumes vous aidera à combler ce manque.

Un grand nombre de fruits et légumes sont riches en fibres. De nos jours et dans notre société, le cancer du côlon est une maladie courante. Beaucoup d'experts pensent que le manque de fibre dans nos régimes est une des plus grandes causes qui contribue au développement de cette maladie. Une bonne façon pour commencer à consommer les fibres dont nous avons besoin est de se servir en portions supplémentaires de fruits ou de légumes. Évidemment, vous gagnez plus de fibre que vous ne le pourriez en ajoutant du PGX^MD à vos repas. Même si les chercheurs ne se mettent pas tous d'accord sur les impacts positifs précis qu'ont les fruits et les légumes sur notre organisme et leurs portées, ils s'accordent à dire que les fibres aident votre intestin à rester « propre » et à maintenir le bon fonctionnement de l'organisme. La contribution en fibre que PGX^MD procure est inégalable. Elle a été testée et validée par des recherches scientifiques. Si l'on oublie l'expert avec lequel vous êtes d'accord quant à la façon dont les fibres agissent positivement sur votre santé, il est certain que la consommation de fruits et de légumes va faire bien plus de bien que de mal. Il en va de même lorsque vous utilisez PGX^MD.

Évitez la sensation de faim

Une des meilleures façons pour éviter de manger des collations riches en calorie est de manger un morceau de fruit ou de légume avant que la sensation douloureuse de la faim n'apparaisse. Boire de l'eau peut aussi aider. Un peu de PGX^MD ajouté à votre repas précédent contribuera au maintien d'une sensation de satiété jusqu'au prochain repas. Éviter la sensation de faim est important. Si vous empêchez la sensation de faim d'apparaître, vous aurez plus de change de réussir le programme coupe-tentations. Selon mon expérience et à force de regarder celles des autres, j'ai constaté qu'il est plus probable de faire des choix alimentaires malsains lorsque l'on est *vraiment* affamé. La science nous montre que ceci est dû à un faible taux de glycémie et à notre désir de manger quelque chose dans l'immédiat pour satisfaire sa faim. Cependant, je pense aussi qu'il existe un mécanisme déclencheur dans votre cerveau qui vous pousse à avoir envie de vous nourrir de ce que vous mangiez auparavant. Lorsque vous avez faim, vous vous concentrez tellement sur ce que vous voulez manger que vous vous évoquez les images des choses que vous pensez être *vraiment bonnes*. Vous ne voulez pas que cette situation vous arrive.

La meilleure façon pour éviter d'avoir trop faim est évidement de prendre PGX^MD pendant les repas. Les fibres hydrosolubles vous procureront une sensation de satiété durable ce qui vous permettra d'éviter la prise de collations. Avec ou sans PGX^MD, vous aurez aimé avoir un morceau de fruit ou de légume à portée de main, notamment quand vous allez sortir de la maison toute la journée ou quand vous aurez une grande période de temps sans nourriture entre le dîner et le souper ou dans l'après-midi au travail. Ne vous inquiétez pas à propos des calories supplémentaires. Prendre une collation (ou deux) ne fait pas de mal. Il vaut mieux que vous ayez mangé trois bananes dans la journée plutôt qu'un beignet.

J'avais une patiente qui a appris qu'avoir un fruit par jour était une façon efficace pour être rassasiée pour la journée. Carolyn buvait une tasse de café chaque après-midi, sinon elle se serait sentie toute molle. Ce n'était pas nécessairement un vice diététique pour elle parce qu'elle buvait uniquement une tasse et utilisait un édulcorant pauvre en calorie. Le problème était qu'elle mangeait une portion trop grande au souper. Grâce à une collation saine prise dans le milieu de l'après-midi à la place du café, elle constata que son niveau d'énergie en était renforcé et elle ne se sentait pas aussi affamée lorsque l'heure du repas arrivait. La solution était simple, saine et aisée. De plus, avant que PGX^{MD} ne soit découvert, au moment où je travaillais avec Carolyn, c'était la seule méthode pour maintenir la sensation de satiété entre les repas.

Cette semaine, que vous preniez ou non du PGX^{MD}, organisez-vous pour ajouter un morceau de fruit ou de légume à votre régime quotidien et faites de cette collation saine une habitude. Vous verrez que vous trouverez délicieux de manger des aliments frais riches en eau, en vitamines et en fibres. Ce sont des aliments qui procurent de l'énergie et qui proviennent directement de mère nature. Assurez-vous d'accomplir au moins 80 % de l'action de cette semaine, ou autant que possible. Organisez-vous une récompense pour votre temps, vos efforts et votre réussite. À la fin de cette semaine, l'exercice physique doit faire partie de vos habitudes.

Si vous n'avez pas commencé à prendre du PGX^{MD}, je ne veux pas que vous attendiez plus longtemps. Pour la semaine à venir, je veux que vous preniez du PGX^{MD} avant chaque repas. Comme nous l'avons déjà vu, PGX^{MD} vous aidera à réduire votre appétit et à manger moins sans fournir d'effort. Il contient un mélange unique de polysaccharides (fibres naturelles) qui se répandent dans le tube digestif pour créer une sensation de satiété satisfaisante. Assurez-vous de boire beaucoup d'eau quand vous en prenez.

Faites le point – Le nombre de jours où j'ai…

1	Bu de l'eau	_____	(7 max)
2	Supprimé mon *vice alimentaire*	_____	(7 max)
3	Mangé des substituts sains	_____	(7 max)
4	Fait du sport avant de regarder la télé	_____	(5 max)
5	Accompli les actions de tous les jours	_____	(7 max)
6	Prononcé mon affirmation quotidienne	_____	(7 max)

Ajoutez vos points et regardez où vous en êtes.

Un total de point de :

34–40	**Excellent** – vous êtes très impliqué et faites de bons choix et des changements positifs ;
27–33	**Bien** – encore un petit effort et vous aurez des actions saines continues et cohérentes ;
21–26	**Moyen** – vous pouvez voir des résultats, mais vous avez besoin d'être plus impliqué et de faire plus d'effort ;
Moins de 20	**Mauvais** – Il vous faut revoir vos objectifs et votre concentration ; vous avez besoin de vous efforcer à maîtriser ces trois actions seulement ; continuez cette partie du programme une ou deux semaines de plus avant d'avancer.

Objectif de la semaine :
Ajouter un fruit ou un légume à votre régime quotidien.

Récompense de fin de semaine :

SEMAINE 6

Actions> (1) Suffisamment d'eau ; (2) Des substituts sains ; (3) Faire de l'exercice avant de regarder la télé ; (4) Visualiser un futur sain ; (5) Ajouter un fruit ou un légume et prendre du PGX[MD] avant chaque repas et collation ; (6) Augmenter l'exercice physique.

Applaudissez-vous pour en être arrivé jusque là ! Il y aura des jours où vous n'aurez pas assez bu d'eau, pas assez fait d'exercice ou mangé sainement. Cela arrive, mais ne laissez pas un petit relâchement détériorer vos objectifs. Si vous avez dit, « *Je ne vais pas à la gym parce que je n'aurais que vingt minutes d'exercice de toute manière* », allez-y quoi qu'il en soit parce qu'un peu d'exercice est meilleur que pas du tout. Si vous n'avez pas bu assez d'eau, assurez-vous d'en boire plus le jour suivant.

Quand vous vous efforcez d'ajouter une nouvelle habitude à votre routine, instaurez en tout premier l'habitude saine, ensuite faites tout votre possible pour la réaliser jusqu'au bout et maîtrisez-la.

Si vous gardez ces deux points à l'esprit, vous n'allez pas vous laisser-aller si vos actions sont en baisse au cours d'une semaine. Rappelez-vous que faire l'action (en faire une habitude) est votre priorité. **Exécutez-vous et souciez-vous de le faire mieux plus tard**.

Faire de l'exercice : vital pour la santé

Cette semaine, vous allez devoir mettre davantage l'accent sur l'exercice physique en vous concentrant pour en faire encore plus que vous n'en avez fait jusqu'à présent. Vous devez évaluer votre niveau de forme physique et votre état de santé (voir Appendice I), pour déterminer si vous avez fait des progrès dans votre quête d'une meilleure forme physique. Quand vous avez commencé, si vous pouviez marcher seulement cinq minutes et que dorénavant vous avez atteint dix minutes de marche, c'est un progrès. C'est un processus très individuel, et vous serez le seul capable à estimer ce que vous ressentez et la nature des gains que vous avez décrochés. Faire de l'exercice physique est l'une des actions les plus significatives pour améliorer votre état de santé. C'est presqu'aussi important que ce que vous mangez et buvez. L'objectif pour instaurer l'exercice physique dans votre routine est d'en faire au moins cinq jours par semaine. Au moment où vous atteindrez une fréquence de cinq jours et une durée d'exercice allant de quarante-cinq minutes à une heure à chaque fois, vous aurez une *très belle* silhouette. Pour y arriver, il suffit tout simplement de s'améliorer progressivement. Je parle ici en moyenne, donc rappelez-vous que les facteurs tels que votre travail, votre état de santé, ce que vous mangez, et votre facteur génétique ont une influence sur votre programme.

Au début, l'objectif est de faire de l'exercice cardiovasculaire ou de l'aérobique (comme marcher, faire de la bicyclette ou faire de la machine elliptique). Plus tard, il vous faudra faire de l'exercice qui renforce vos muscles. Si vous ne faites pas d'exercice musculaire, vous pouvez commencer à en faire dès cette semaine. Se muscler peut simplement se faire grâce à une bande en caoutchouc/résistante ou à une session d'entraînement musculaire dans une gym avec un entraîneur sportif. Assurez-vous de savoir comment utiliser les machines et faites en progressivement comme vous le faites pour l'exercice cardiovasculaire. Le temps que vous utilisez à faire des exercices doit se faire en fonction des exercices qui vous sont recommandés et qui sont appropriés à votre niveau de forme physique (ou ceux qui vous sont recommandés par un professionnel).

L'objectif de cette semaine est de faire au moins trente minutes d'exercice pendant cinq jours. Il y a plusieurs choses à savoir sur cette durée. Tout d'abord, il est plus facile (et plus efficace) de faire trente minutes sans s'arrêter. On m'a demandé si trente minutes de marche peuvent être divisées en deux fois quinze minutes. Si vous pouvez *seulement* faire trente minutes en les divisant, qu'il en soit ainsi. Au final, vous arriverez à faire vos trente minutes en une seule fois. Une très bonne raison pour tenir à cette durée est que l'on brûle un maximum de graisse après les vingt premières minutes d'exercice continu. Quand vous commencez à introduire la musculation à votre routine, vous pouvez fractionner votre temps d'exercice si vous le devez. Pour cette semaine, votre but est d'atteindre les trente minutes quotidiennes pendant cinq jours et de l'organiser dès maintenant. Rappelez-vous que vous comptez seulement le temps que vous consacrez à faire de l'exercice, du moment où vous commencez jusqu'à ce que vous ayez fini. Évidemment, s'arrêter pour prendre une pause de cinq minutes n'est pas pris en compte dans les trente minutes (quel qu'en soit la raison). Soyez honnête et impliquez-vous dans ces trente minutes. Elles sont exclusivement réservées à votre bien-être et à votre état de santé futur.

En consacrant plus de temps à une activité sportive vous passerez soit moins de temps devant la télévision, soit plus de temps à faire de l'exercice physique devant la télévision. La règle est *de faire de l'exercice avant ou pendant que l'on regarde la télé.* Faites cette exercice que vous connaissez dorénavant bien et continuez à en faire plus souvent. Vous pouvez devenir un expert dans l'exercice physique que vous avez choisi : savoir combien de temps vous êtes capable d'en faire (pas votre maximum, mais la durée que vous pouvez faire confortablement en y ajoutant un petit peu plus de temps). Dans les semaines à venir, vous pourrez persévérer en augmentant un petit peu plus la vitesse et la distance (et la durée). Ne vous laissez pas aller à vous avachir sur le canapé et regarder la télévision si vous n'avez toujours pas fait votre exercice physique quotidien. Jamais !

Concentrez-vous sur votre cible

Maintenant que vous instaurez de bonnes habitudes et savez que vos progrès dépendent des actions accomplies au quotidien, vous devez à présent vous concentrer sur une cible hebdomadaire. Cela fait parti du processus constructif qui connecte ce qui a besoin d'être accompli aujourd'hui aux résultats que vous voulez atteindre. La méthode de la visualisation peut vous aider, mais avoir une cible de court terme va permettre de faire le lien entre les actions d'aujourd'hui et le mode de vie que vous vous êtes imaginé. Organisez à l'avance ce que vous voulez accomplir cette semaine : faites un emploi du temps, faites les courses nécessaires, sachez à quelle heure et quel jour vous allez faire de l'exercice, et ainsi de suite. Utilisez les accomplissements de chaque objectif pour mesurer votre succès.

Janet a vu des résultats grâce à l'élimination de ses vices et davantage quand elle a fait de l'exercice. Elle pesait 263 livres à l'âge de 47 ans et mesurait 5 pieds et 4 pouces. Elle n'avait pas assez d'énergie. Elle ne pouvait pas passer une journée entière sans lutter contre la fatigue. Puis, après avoir éliminé son vice et abandonné la télé pour l'exercice, elle a commencé à se sentir beaucoup mieux. Après avoir pris l'habitude de marcher, elle est allée à la gym régulièrement. Elle a finalement perdu 60 livres et pense qu'aller à la gym fût le moment décisif pour enfin être en forme physique et maintenir sa perte de poids. Cela vous montre qu'un petit extra peut faire bouger grandement les choses, notamment lorsque vous concentrez vos efforts sur l'exercice.

Faites le point – Le nombre de jours où j'ai…

1 Bu de l'eau _____ (7 max)
2 Supprimé m*on vice a*limentaire _____ (7 max)
3 Mangé des substituts sains _____ (7 max)
4 Fait du sport avant de regarder la télé _____ (5 max)
5 Accompli les actions de tous les jours _____ (7 max)
6 Prononcé mon affirmation quotidienne _____ (7 max)

Ajoutez vos points et regardez où vous en êtes.

Un total de point de :

34–40	**Excellent** – vous êtes très impliqué et faites de bons choix et des changements positifs ;
27–33	**Bien** – encore un petit effort et vous aurez des actions saines continues et cohérentes ;
21–26	**Moyen** – vous pouvez voir des résultats, mais vous avez besoin d'être plus impliqué et de faire plus d'effort ;
Moins de 20	**Mauvais** – Il vous faut revoir vos objectifs et votre concentration ; vous avez besoin de vous efforcer à maîtriser ces trois actions seulement ; continuez cette partie du programme une ou deux semaines de plus avant d'avancer.

Objectif de la semaine :
Augmenter les jours/le temps d'exercice physique

Récompense de fin de semaine :

SEMAINE 7

Actions> (1) Suffisamment d'eau ; (2) Des substituts sains ; (3) Faire de l'exercice avant de regarder la télé ; (4) Visualiser un futur sain ; (5) Ajouter un fruit ou un légume et prendre du PGX[MD] avant chaque repas et collation ; (6) Augmenter l'exercice physique ; (7) Ajouter des fibres.

À ce stade, vous devriez noter de nombreux changements positifs sur votre santé en général. J'ai vu beaucoup de personnes perdre 10 livres et beaucoup d'autres perdre jusqu'à 15 livres à ce stade. C'est seulement 2 livres par semaines, rien d'infaisable ou draconien. Peut-être même pas assez pour gagner votre attention.

Il faut savoir que cette approche progressive fait en sorte que la perte de poids soit facile, pratique et *durable*.

Cette semaine, nous prenons l'initiative d'améliorer la santé d'une des parties les plus importantes de votre organisme : votre cœur. Selon l'*American Heart Association*, les maladies cardiovasculaires (du cœur et des vaisseaux sanguins) représentent la première cause de décès en Amérique, expliquant 41 % des décès par an. Il a été trop souvent dit que l'arrêt cardiaque est le premier signe d'un problème cardiovasculaire. Aussi, en complément de l'exercice physique, il y a une action que vous avez besoin d'accomplir cette semaine qui s'accordera avec votre mode de vie sain en cours de construction : ajouter des fibres à votre régime. Un régime qui comprend un montant adéquat de fibre peut vous aider à baisser votre taux de cholestérol, prévenir certains cancers et contrôler le diabète dans une certaine mesure. Cela peut aussi réduire les calculs biliaires et rénaux. Alors pourquoi ne pas en remplir votre régime ? Votre meilleur pari est d'ajouter des fruits et des légumes. Cependant, prendre du PGX[MD] avant les repas est une excellente source de fibre sous une forme prête à manger.

Fibres – Combler une carence

Selon le Chef des services de santé des États-Unis, le régime alimentaire américain comprend tout juste la moitié du montant de fibre quotidien recommandé.* Aussi, qu'est-ce que les fibres et pourquoi est-ce si important ? Une fibre est une substance que votre organisme **ne peut pas digérer**. Parce que vous ne pouvez pas le digérer, ce n'est pas considéré comme une source calorique. C'est bien ça, **fibre = zéro calorie**.

Il existe deux types de fibres : les fibres solubles, qui se dissolvent dans l'eau et celles qui sont insolubles, qui ne se dissolvent pas.

*À moins d'être indiqué, toutes les fibres et les informations sur les fibres ont été obtenues grâce à l'*American Heart Association* www.americanheart.org.

Les fibres insolubles

Les sources de fibres insolubles comprennent les pains au blé complet, les céréales de blé, le son de blé, le maïs soufflé, le riz brun, le seigle, l'orge, les carottes, les choux de Bruxelles, les navets, le chou-fleur, la peau de pomme (le reste de la pomme est *soluble*). Les fibres insolubles n'ont pas autant d'avantages que celles solubles, mais elles semblent être importante au bon fonctionnement de l'intestin. Ce type de fibres rend vos déchets plus solides et les faits descendre dans votre organisme plus rapidement. Selon le Centre hospitalier Johns Hopkins (www.jhbmc.jhu.edu), « les fibres sont un rêve (pour les personnes à la diète) puisque les fibres appelées cellulose et hémicellulose occupent de la place dans l'estomac, provoquant la sensation de satiété et réduisant ainsi l'apport en aliment. » Ce que cela signifie, c'est que vous pouvez manger un aliment riche en fibres ou boire de l'eau pour réduire votre appétit sans prendre de calories (mais autant que possible et non trois fois par jour). Vous pouvez augmenter le nombre de fibre dans votre régime en y ajoutant un autre fruit ou un autre légume ou de la salade. Sinon, vous pouvez suivre les suggestions qui suivent.

Acheter des céréales au son, qui contiennent peu de glucides et sont riches en fibres. Attention à ne pas ajouter trop de sucres inutiles lorsque que vous préparez votre portion de céréales au son. La marque Kellogg's propose de bons céréales au son appelés All-Bran (avec une portion faible en féculent). Kashi propose aussi un bon produit. Ensuite, prenez des germes de blé et des graines de lin blanchies. Les germes de blé (J'utilise la marque Mother's) contiennent des vitamines E, quelques vitamines B, du zinc et d'autres minéraux qui selon les dires, aideraient au bon fonctionnement du côlon, nourriraient la peau, réduiraient le cholestérol et stimuleraient le système immunitaire. Il est dit que les graines de lin blanchies présentent les mêmes avantages, elles veillent au bon fonctionnement du côlon, aident à réduire le taux de cholestérol et fournissent une source de bons gras (acides gras en oméga-3) et sont de bonnes fibres solubles (avec quelques fibres insolubles aussi).

Versez une petite portion (une demie tasse ou moins) de *céréales au son* dans un bol. Ajoutez une cuillère à thé de *graines de lin blanchis* et une cuillère à table bien pleine de *germe de blé*. Ajoutez du lait écrémé (ou du lait de soja contenant peu de féculant) et dégustez. Cela vous permettra d'avoir un bon apport nutritionnel en fibre sans trop de calories ! Consommez ceci une fois par jour et intégrez-le aux repas ou aux collations.

Les fibres solubles

Les sources de fibres solubles comprennent : les flocons d'avoine, les prunes, les haricots, les pois, le riz brun, l'orge, les pommes, les oranges, les pêches, les poires, les fraises, les agrumes et (le plus récent sur la liste) – PGX^{MD}. L'avoine contient la plus grande part de fibres solubles parmi tous les grains. Cependant, une simple dose de PGX^{MD} apporte autant de fibre que quatre bols d'avoine. Boire beaucoup d'eau et prendre du PGX^{MD} avant ou pendant les repas peut vraiment vous aider à réduire votre appétit tout en vous laissant une sensation de satiété qui dure, cela en stabilisant votre sucre dans le sang et en améliorant l'équilibre entre le « bon » et le « mauvais » cholestérol.

Chaque type de fibre soluble comporte un avantage pour la santé tel qu'aider à baisser le cholestérol, soulager la constipation et même soulager les hémorroïdes. Sa tendance à contrôler les taux de cholestérol et de triglycérides aide à prévenir les maladies du cœur. Un apport en fibre adéquat peut aussi aider à réguler le taux de sucre dans le sang. C'est un bon moyen d'éviter le diabète. Un grand nombre d'experts s'accordent à dire qu'un régime alimentaire riche en fibre pourrait prévenir le cancer du côlon. (Les bienfaits des fibres tirés de http://yourmedicalsource.com ; voir aussi PGX.com)

Citrucel^{MD} et Metamucil^{MD} (ce sont des noms de marque pour les produits de graines de fibres psyllium) sont de bonnes formes de fibres solubles qui peuvent être consommées une fois par jour ou à la fréquence recommandée par votre médecin. Toutefois, la meilleure façon que j'ai trouvé pour augmenter l'apport en fibre dans notre régime est de prendre PGX^{MD}. J'étais en train de suivre une conférence sur la santé lorsque j'ai entendu le Dr. Michael Murray parler de PGX^{MD} et de ses bienfaits. Cette conférence a changé ma santé et ma vie pour toujours ! À présent, vous devriez prendre les gélules PGX^{MD} Daily avant chaque repas et chaque collation. Grâce à ce produit, vous devriez savoir ce que c'est que d'avoir moins d'appétit et moins d'envies.

Note : Une augmentation élevée de la consommation de fibres sur une courte période, qu'elles proviennent du PGX^MD ou des aliments, peut entraîner des ballonnements, des diarrhées, des gaz et une gêne générale. Il est important d'augmenter les fibres progressivement au cours du temps (trois semaines) pour éviter des problèmes abdominaux.

Quelques sources en fibres

Soluble

- Flocons d'avoine
- PGX^MD
- Noix et graines

Insoluble

- Légumineux :
  - Poids cassés
  - Haricots, lentilles
- Graines entières
- Blé entier
- Riz brun
- Céréales
- Son de blé
- Graines
- Son d'avoine
- Carottes
- Céleri
- Concombres
- Courgette
- Pommes
- Fraises

Tiré de www.hsph.harvard.edu-nutritionsource/fiber.html

Fruits

Taille des portions – total de fibre (g)

- 1 poire moyenne 5.1
- 2 figues sèches moyennes 3.7
- 1 tasse de bleuets 3.5
- 1 pomme moyenne avec la peau 3.3
- 3 moitiés de pêches séchées 3.3
- 1 orange moyenne 3.1
- 1 tasse de fraise.........................3.0
- 10 moitiés d'abricots séchés 2.6
- 1.5 once de raisins secs...........1.6

Graines, céréales, pâtes

Taille des portions – total de fibre (g)

- 1 tasse de spaghetti au blé entier...................................6.3
- ¾ tasse de flocons de son......5.3
- 1 tasse de flocons d'avoine...4.0
- 1 tranche de pain de seigle...1.9
- 1 tranche de pain de blé complet 1.9
- 1 tranche de pain aux multi-grains.............................1.7
- 1 tranche de pain de blé concassé....................................1.4

Légumineux, noix, graines

Taille des portions – total de fibre (g)

1 tasse de lentilles................. 15.6

1 tasse d'haricots noirs......... 15.0

1 tasse d'haricots en conserve.............................. 13.9

1 tasse d'haricots de Lima .. 13.2

24 amandes...............................3.3

47 pistaches..............................2.9

28 cacahouètes........................2.3

18 noix de cajou 0.9

Légumes

Taille des portions – total de fibre (g)

1 tasse de pois...........................8.8

1 artichaut moyen cuit 6.5

1 tasse de choux de Bruxelles...................................6.4

1 tasse de navets verts cuits..5.0

1 pomme de terre cuite en gardant la peau.......................4.4

1 tasse de maïs..........................4.2

3 tasses de maïs soufflé, éclaté à l'air..3.6

¼ tasse de concentré de tomate...............................3.0

1 carotte moyenne...................1.8

Provenant de la clinique Mayo : www.mayoclinic.com

Faites le point – Le nombre de jours où j'ai…

1	Bu de l'eau	_____	(7 max)
2	Supprimé mon *vice alimentaire*	_____	(7 max)
3	Mangé des substituts sains	_____	(7 max)
4	Fait du sport avant de regarder la télé	_____	(5 max)
5	Accompli les actions de tous les jours	_____	(7 max)
6	Prononcé mon affirmation quotidienne	_____	(7 max)

Ajoutez vos points et regardez où vous en êtes.

Un total de point de :

34–40	**Excellent** – vous êtes très impliqué et faites de bons choix et des changements positifs ;
27–33	**Bien** – encore un petit effort et vous aurez des actions saines continues et cohérentes ;
21–26	**Moyen** – vous pouvez voir des résultats, mais vous avez besoin d'être plus impliqué et de faire plus d'effort ;
Moins de 20	**Mauvais** – Il vous faut revoir vos objectifs et votre concentration ; vous avez besoin de vous efforcer à maîtriser ces trois actions seulement ; continuez cette partie du programme une ou deux semaines de plus avant d'avancer.

Objectif de la semaine :
Ajouter des fibres à votre régime alimentaire

Récompense de fin de semaine :

SEMAINE 8

Actions> (1) Suffisamment d'eau ; (2) Des substituts sains ; (3) Faire de l'exercice avant de regarder la télé ; (4) Visualiser un futur sain ; (5) Ajouter un fruit ou un légume et prendre du PGX[MD] avant chaque repas et collation ; (6) Augmenter l'exercice physique ; (7) Ajouter des fibres ; (8) Faire le ménage.

Le processus de développement se poursuivant, vous vous élevez vers une vie que vous êtes en train de visualiser, remplie de pensées saines et d'actions et où le corps et l'esprit sont complets.

Si vous vous êtes engagé dans les actions décrites jusqu'à présent, vous devriez avoir une impression de contrôle et de pouvoir. Ne vous arrêtez pas de célébrer la réussite en allant toujours plus loin, mais prenez le temps d'organiser un moment pour une récompense à la fin de chaque semaine, cela seulement si vous avez atteint votre objectif hebdomadaire. Vous choisissez ce que signifie pour vous d'atteindre ses objectifs : 70 %, 80 %, ou est-ce que ça colle 100 % à votre plan ? Je ne vais pas fixer un pourcentage pour vous. Si vous êtes content de vos progrès, faites alors ce que vous avez prévu à la fin de la semaine. Même une toute petite amélioration chaque semaine contribuera après un certain temps aux plus grands changements dans votre vie. Faites ce voyage à la vitesse qui vous est la plus confortable.

Organiser votre maison

Quand la première édition a été publiée, des lecteurs m'ont envoyé des courriels pour me demander POURQUOI ils avaient besoin de ranger leurs maisons. Je leur ai simplement dit. « Faites-le, c'est tout ! ». Puis, je leur ai demandé de me dire ce qu'ils en avaient tiré. Surprise ! Toutes les personnes qui l'on fait ont reconnu le pouvoir de cet exercice. Aussi, permettez-moi de vous dire « faites-le, c'est tout ! »

Cette semaine, nous allons dévier votre attention sur votre environnement. Une des choses que j'ai notées au cours de toutes ces années est le nombre de personnes qui considèrent trop souvent que la diète ou la perte de poids et la vie quotidienne sont des choses séparées. Vous ne devriez absolument pas croire ça. Pour que vous puissiez poursuivre progressivement votre quête vers un mode de vie sain, regardons votre environnement et surtout votre maison.

La première pièce avec laquelle nous allons commencer est évidement la cuisine. Combien de goûters, de gourmandises malsaines, de nourriture riche en sucre y-a-t-il dans votre cuisine ? Est-ce que la vie que vous vous êtes imaginé inclut tout ça ? Jetez un œil pour vous assurer que vous ne conservez pas des produits dont vous n'avez pas besoin ou qui ne font plus partie de votre vie.

La cuisine est la pièce où vous avez le plus de chance de consommer des calories malsaines si vous êtes tenté par de la nourriture malsaine.

Jetez cette nourriture malsaine et ces boissons. Assurez-vous que la nourriture saine soit disponible et à portée de main. Ayez des fruits frais disponibles dans une corbeille sur la table, des céréales riches en fibre dans vos placards, des petites carottes ou d'autres légumes à collation coupés et prêts à manger dans le réfrigérateur. Assurez-vous de bien laver vos mains avant de prendre de la nourriture. C'est le premier moyen de défense pour prévenir les maladies.

Sain = Propre

Si vous faites des efforts pour atteindre un mode de vie sain et en forme physique, votre maison doit être le reflet de quelqu'un de *sain et en forme physique*. Une fois que vous vous êtes attaqué au nettoyage et au rangement, vous aurez une cuisine propre et rangée. Vous aurez l'impression d'avoir une dose d'énergie nouvelle et une meilleure affinité avec votre environnement. C'est de l'énergie positive. Je voudrais aussi surligner que vous pourriez avoir l'impression de prendre un nouveau départ (comme un renouveau) où à partir de ce moment, vous avancez seulement en direction de la santé et laissez derrière vous une autre vie. Concentrez-vous sur le nettoyage et le rangement de votre maison cette semaine, en complément aux autres actions. *Et puis, n'oubliez pas d'organiser une récompense.*

Faites le point – Le nombre de jours où j'ai…

1 Bu de l'eau _____ (7 max)
2 Supprimé mon *vice alimentaire* _____ (7 max)
3 Mangé des substituts sains _____ (7 max)
4 Fait du sport avant de regarder la télé _____ (5 max)
5 Accompli les actions de tous les jours _____ (7 max)
6 Prononcé mon affirmation quotidienne _____ (7 max)

Ajoutez vos points et regardez où vous en êtes.

Un total de point de :

34–40	**Excellent** – vous êtes très impliqué et faites de bons choix et des changements positifs ;
27–33	**Bien** – encore un petit effort et vous aurez des actions saines continues et cohérentes ;
21–26	**Moyen** – vous pouvez voir des résultats, mais vous avez besoin d'être plus impliqué et de faire plus d'effort ;
Moins de 20	**Mauvais** – Il vous faut revoir vos objectifs et votre concentration ; vous avez besoin de vous efforcer à maîtriser ces trois actions seulement ; continuez cette partie du programme une ou deux semaines de plus avant d'avancer.

Objectif de la semaine :
Nettoyer et ranger votre maison

Récompense de fin de semaine :

SEMAINE 9

Actions> (1) Suffisamment d'eau ; (2) Des substituts sains ; (3) Faire de l'exercice avant de regarder la télé ; (4) Visualiser un futur sain ; (5) Ajouter un fruit ou un légume et prendre du PGX[MD] avant chaque repas et collation ; (6) Augmenter l'exercice physique ; (7) Ajouter des fibres ; (8) Faire le ménage ; (9) Ajouter un supplément quotidien.

Je souhaiterais que vous preniez le temps de faire rapidement une auto-évaluation pour déterminer vos progrès. S'il vous plaît, veuillez écrire les réponses à vos questions de manière détaillée pour renforcer ce que vous faites en ce moment ou vous faire savoir toutes les choses que vous avez besoin de faire. Je voudrais aussi vous suggérer d'écrire dans votre emploi du temps les avantages que vous avez eus. Vous pourrez ainsi y réfléchir au cours de la journée, ajouter un avantage à chaque fois que vous y pensez ou si les progrès sont lents, griffonner des idées pour faire bouger les choses.

- Quel est mon point de vue sur ce que j'ai accompli jusqu'à maintenant ?
- Comment réagit mon corps maintenant en comparaison à ce qu'il était au départ ?
- Est-ce que je peux améliorer ce que j'ai accompli jusqu'à maintenant ?
- Est-ce que je pense pouvoir le faire toute ma vie ?
- Ai-je une sensation de manque ou suis-je plus habilité ?

Vous remarquerez qu'une question vous demande toujours d'établir une comparaison entre votre point de départ avant de commencer la coupe-tentations et votre situation présente. Maintenant que vous avez parcouru ce programme sur dix, onze, voire douze semaines, il pourrait sembler un peu ridicule de comparer les progrès que vous avez fait avec le point de départ qui a débuté il y a fort longtemps. Pourtant, je pense qu'il est bien de le faire. Cela vous aidera à garder une vue d'ensemble.

Ajouter des suppléments antioxydants

Notre environnement n'est plus celui d'il y a un siècle. Aujourd'hui, nous sommes exposés plus que jamais aux contaminants, aux déchets, aux fumées, aux gaz, et d'autres formes de pollution et de toxines. À moins que nous changions le cours des choses, il n'y a pas de doute sur le fait que notre société toute entière fera face à des problèmes inquiétants de pollutions. Cela aura pour conséquence un effet négatif sur notre état de santé et notre bien-être. Le problème touche la qualité de l'air que nous respirons et la pureté du sol où l'on fait pousser la nourriture que nous mangeons. Les polluants peuvent avoir un impact négatif sur notre cœur, nos poumons, notre système digestif, et nos organes reproductifs s'ils sont inhalés ou ingérés. La qualité de l'air, du sol, et de l'eau influencent ensemble notre état de santé et notre niveau de bien-être (une raison supplémentaire pour atteindre l'objectif de la semaine 8). En effet, l'*American Association on Mental Retardation* (AAMR) a rapporté que depuis la seconde guerre mondiale, environ 80 000 nouveaux composants synthétiques chimiques ont été approuvés à l'utilisation. De nos jours, parmi les 15 000 produits chimiques les plus courants, la plus grande majorité d'entre eux n'ont pas été testé individuellement pour voir s'ils ont un impact sur la santé humaine. N'est-il pas normal que la santé humaine régresse ? Ce problème environnemental se pose devant nous chaque jour. C'est devenu un problème tellement grand qu'il semble insolvable. Même si nous ne pouvons pas régler ce problème dans l'immédiat, nous pouvons prendre des initiatives pour améliorer notre situation. Nous pouvons ajouter des substances à notre régime pour contrecarrer les pires effets de la pollution et de la dégradation environnementale.

Vous connaissez le proverbe suivant : « il vaut mieux prévenir que guérir » n'est-pas ? Ici, la prévention est de prendre des suppléments nutritifs. La mesure de cette semaine est d'ajouter des suppléments nutritifs. Ils vous aideront à prévenir les problèmes de santé qui peuvent apparaître en raison de notre exposition aux polluants.

En termes nutritifs, nous pouvons définir un supplément comme une substance qui est prise pour *combler un besoin nutritionnel.* Pour comprendre les besoins nutritionnels, causés par les problèmes environnementaux, il est important de jeter un œil sur la façon dont nos corps exploitent la nutrition que nous gagnons en mangeant pour faire fonctionner notre organisme.

Les radicaux libres

Les radicaux libres sont dus à plusieurs facteurs, tels que la radiation par le soleil ou les rayons X, les pots d'échappement des véhicules, la fumée de cigarette, l'alcool, les gras saturés, le stress et les éléments chimiques contenus dans la nourriture et dans l'eau.

Les radicaux libres peuvent endommager les parois cellulaires, certaines structures cellulaires et la composition génétique des cellules. Ces détériorations mènent aux effets prématurés de l'âge, à l'arthrite, aux cancers variés, aux maladies du cœur, aux cataractes, aux maladies auto-immunes, Alzheimer, Parkinson. Il est donc important d'ajouter des antioxydants à notre régime quotidien pour réduire la circulation des radicaux libres dans notre organisme.

Même si les antioxydants proviennent des fruits et des légumes, il est peu probable qu'un régime alimentaire américain typique puisse fournir tous ceux dont nous avons besoin pour être en bonne santé. Certaines personnes se tournent vers les suppléments vitaminés traditionnels, mais les vitamines individuelles ou les mélanges multivitaminés n'apportent pas les milliers d'antioxydants et autres phyto-nutriments dont notre régime a besoin. En effet, notre organisme est génétiquement programmé pour exiger la réception d'au moins 12 000 nutriments (incluant les vitamines) tirés uniquement des fruits et des légumes et exploités ensemble pour créer une combinaison parfaite.

Certaines recherches montrent que les suppléments vitaminés pourraient devenir dangereux s'ils sont consommés en grande quantité. En effet, les américains ne souffrent pas d'une carence en vitamine, mais d'une carence généralisée. Nous manquons surtout de fruits et de légumes et ainsi de leurs milliers de phyto-nutriments.

Antioxydants : Source d'anti-radicaux libres

Source d'aliments

Carottes	Framboises	Fraises
Raisins rouges	Haricots noirs	Noix de pécan
Haricots rouges	Oranges	Bleuets
Citrons	Canneberges	Prunes
	Artichauts	Pommes de terre Russet
	Pommes	

Tiré de WebMD : http://my.webmd.com/content/article/89/100138.html

Commencez par compléter votre régime avec suffisamment d'antioxydant pour combattre les radicaux libres. Vous pourriez trouver qu'un supplément complet en vitamines et minéraux est la meilleure façon de faire. Assurez-vous de commencer à ajouter ce supplément tous les jours de cette semaine.

Faites le point – Le nombre de jours où j'ai...

1	Bu de l'eau	_____	(7 max)
2	Supprimé mon *vice alimentaire*	_____	(7 max)
3	Mangé des substituts sains	_____	(7 max)
4	Fait du sport avant de regarder la télé	_____	(5 max)
5	Accompli les actions de tous les jours	_____	(7 max)
6	Prononcé mon affirmation quotidienne	_____	(7 max)

Ajoutez vos points et regardez où vous en êtes.

Un total de point de :

34–40 **Excellent** – vous êtes très impliqué et faites de bons choix et des changements positifs ;

27–33 **Bien** – encore un petit effort et vous aurez des actions saines continues et cohérentes ;

21–26 **Moyen** – vous pouvez voir des résultats, mais vous avez besoin d'être plus impliqué et de faire plus d'effort ;

Moins de 20 **Mauvais** – Il vous faut revoir vos objectifs et votre concentration ; vous avez besoin de vous efforcer à maîtriser ces trois actions seulement ; continuez cette partie du programme une ou deux semaines de plus avant d'avancer.

Objectif de la semaine :
Ajouter des suppléments à votre régime tous les jours

Récompense de fin de semaine :

SEMAINE 10

Actions> (1) Suffisamment d'eau ; (2) Des substituts sains ; (3) Faire de l'exercice avant de regarder la télé ; (4) Visualiser un futur sain ; (5) Ajouter un fruit ou un légume et prendre du PGX^{MD} avant chaque repas et collation ; (6) Augmenter l'exercice physique ; (7) Ajouter des fibres ; (8) Faire le ménage ; (9) Ajouter un supplément quotidien ; (10) Prendre un petit-déjeuner sain.

Jetons un autre regard cette semaine sur les fibres et les suppléments. Comme décrit précédemment, les sources de fibre recommandées sont bonnes pour votre santé en général. Cependant, saviez-vous que les graines de lin peuvent aussi *combattre* les radicaux libres ? N'est-ce pas une prime ? Une chose qu'il vous faut garder à l'esprit : *donnez-vous le temps* de consommer ces suppléments pour pouvoir noter leurs effets. En effet, certains effets ne sont mêmes pas visibles. Votre action de ce jour pourrait bien vous éviter de développer une maladie d'ici à quelques années. Continuez à développer les actions que vous avez accomplies jusqu'à maintenant.

Petit-déjeuner pour des champions

Cette semaine est le bon moment pour commencer à porter plus d'attention à ce que vous mangez au petit-déjeuner. Vous mangez peut-être déjà un petit-déjeuner sain et je vous en félicite. C'est souvent une progression qui se produit sans mon intervention. Si vous n'avez pas pris cette initiative, ne vous inquiétez pas, vous commencerez dès cette semaine.

Vous avez probablement entendu que le petit-déjeuner est le repas le plus important de la journée. Selon une étude de la *Harvard Medical School* *, menée auprès de 3 500 adultes, les personnes qui prenaient leur petit-déjeuner tous les jours, ont *trois fois moins de chance d'être obèse* comparées aux personnes qui saute ce repas.

*Ces découvertes ont été présentées par l'*American Heart Association* (l'association américaine pour le cœur) à l'occasion de la conférence annuelle de 2003.

Cette étude a aussi démontré que les personnes qui ont pris un petit-déjeuner ont deux fois moins de chance d'avoir des troubles glycémiques, qui augmentent le risque de diabète et de cholestérol – les deux maladies sont également des facteurs de risque entraînant des troubles cardiaques. Le Dr. Periera qui a supervisé cette étude, a dit que prendre un petit-déjeuner tous les matins après le réveil pourrait aider à stabiliser les taux glycémiques et donc réguler l'appétit et l'énergie.

Prendre un petit-déjeuner est en accord avec ce que je vous ai recommandé à la semaine 5 pour *éviter d'avoir faim*. Si vous sautez le petit-déjeuner, vous avez plus de chance de manger trop de nourritures malsaines sur votre lieu de travail ou de s'arrêter en route parce que vous êtes *affamé*. Vous n'auriez pas été dans cet état si vous aviez mangé quelque chose avant de partir de la maison. Même si vous êtes une mère au foyer, vous ne devez pas attendre d'être affamé pour manger. Tous les matins, je prends le mélange velouté *Slimstyles* PGX[MD] au petit-déjeuner. C'est rapide, facile et je sais que je débute ma journée avec 20 grammes de protéine, quelques nutriments ET tous les avantages du PGX[MD] qui est constitué de fibres solubles.

Dans une étude publiée en avril 1999 par le *Journal of the American College of Nutrition*, les personnes qui prennent un déjeuner ont moins de cholestérol et plus de vitamines et de minéraux que ceux qui n'en prennent pas ou ceux qui ne prennent pas un *petit-déjeuner copieux* (défini comme au moins un quart de l'apport calorique journalier recommandé). Les résultats d'une étude sur les centenaires géorgiens montrent que les personnes qui ont vécu jusqu'à l'âge de cent ans ont consommé régulièrement un petit-déjeuner tout au long de leur vie comparées à la personne moyenne. Le problème soulevé dans la publication de novembre 1999 de l'*International Journal of Food Science and Nutrition* a rapporté que les personnes qui prennent un petit-déjeuner se sentent plus vif mentalement et mieux physiquement au cours de la journée.

Je vous suggère de choisir un, deux ou trois petit-déjeuners que vous aimez et de les consommer en exclusivité pendant un certain temps. De cette façon, vous n'avez pas besoin de courir faire les courses pour différencier votre menu tous les jours. De plus, cette méthode simple vous empêche de vous focaliser sur la *nourriture*. Concentrez-vous sur l'apport en nutriments et passez aux autres choses qu'il vous faut accomplir au cours de la journée. Vous constaterez aussi que prendre un déjeuner est la façon la plus facile pour obtenir des fibres, voir les recettes disponibles à l'Appendice II. Vous n'avez pas besoin de doubler votre apport. Cependant, vous voudrez vous assurer d'avoir un repas équilibré si vous voulez atteindre un apport en fibre suffisant grâce au petit-déjeuner. C'est aussi le bon moment pour avoir un autre morceau de fruit pour la journée. Voir Appendice II, section recette pour plus de suggestions, page 205.

Faites le point – Le nombre de jours où j'ai…

1	Bu de l'eau	_____	(7 max)
2	Supprimé mon *vice alimentaire*	_____	(7 max)
3	Mangé des substituts sains	_____	(7 max)
4	Fait du sport avant de regarder la télé	_____	(5 max)
5	Accompli les actions de tous les jours	_____	(7 max)
6	Prononcé mon affirmation quotidienne	_____	(7 max)

Ajoutez vos points et regardez où vous en êtes.

Un total de point de :

34–40	**Excellent** – vous êtes très impliqué et faites de bons choix et des changements positifs ;
27–33	**Bien** – encore un petit effort et vous aurez des actions saines continues et cohérentes ;
21–26	**Moyen** – vous pouvez voir des résultats, mais vous avez besoin d'être plus impliqué et de faire plus d'effort ;
Moins de 20	**Mauvais** – Il vous faut revoir vos objectifs et votre concentration ; vous avez besoin de vous efforcer à maîtriser ces trois actions seulement ; continuez cette partie du programme une ou deux semaines de plus avant d'avancer.

Objectif de la semaine :
Prendre un petit-déjeuner sain chaque jour

Récompense de fin de semaine :

SEMAINE 11

Actions> (1) Suffisamment d'eau ; (2) Des substituts sains ; (3) Faire de l'exercice avant de regarder la télé ; (4) Visualiser un futur sain ; (5) Ajouter un fruit ou un légume et prendre du PGX[MD] avant chaque repas et collation ; (6) Augmenter l'exercice physique ; (7) Ajouter des fibres ; (8) Faire le ménage ; (9) Ajouter un supplément quotidien ; (10) Manger un petit-déjeuner sain ; (11) Prendre un déjeuner sain.

Bien que vous approchez de la fin des douze semaines et peut-être même de votre objectif de perte de poids, il y a une leçon importante relative au fait de terminer ce que vous aviez commencé. Un proverbe chinois dit : « Quand vous en êtes à 95 %

de votre objectif, c'est que vous avez seulement fournit 50 % des efforts nécessaires. » Cela signifie qu'il est possible que plus vous vous rapprochiez de votre objectif, plus ce sera difficile !

Étonnamment, la plupart des gens jette l'éponge aux derniers 100 mètres, quand ils s'efforcent à dépasser cette dernière lutte, franchir ce dernier obstacle, ou s'efforcent à grimper la dernière montée pour atteindre le sommet. Malheureusement, c'est la façon dont les gens se privent de la joie que procure la réalisation d'un objectif majeur. C'est là où ils abandonnent et ne peuvent pas voir les résultats de leurs efforts et ressentir le plaisir de voir leur dévouement payer.

Il y a une chose que je peux vous garantir : *si vous arrêtez de mettre en avant les efforts pour perdre du poids et être en bonne forme physique et en bonne santé, vous ne perdrez pas de poids et ne serez pas en bonne forme.* Arrêtez maintenant et vous ne saurez jamais si votre but était juste un petit jeu ou si vous étiez seulement à quelques mètres de l'arrivée. Donc continuez à avancer, mètre par mètre, et un « effort » à la fois !

Un déjeuner sain

Prendre un déjeuner sain est l'objectif de cette semaine. Quand vous aviez commencé à réprimer votre vice diététique de restauration rapide, vous avez peut-être commencé à prendre un déjeuner sain, ou du moins une version saine. Si c'est le cas, appliquez le même principe que pour la collation saine. L'importance qu'accordent certaines personnes à prendre un déjeuner sain s'applique aussi à la collation saine. De plus, cette nourriture ne vous ralentira pas.

Pour ceux d'entre nous qui se réveille en général entre 6 et 8 h du matin, et travaille (ou non) jusqu'à 17 h, le dîner se prend autour de midi. Ce repas rempli deux besoins importants. Le premier besoin est l'apport nutritif et calorique, il est comblé quelque soit ce que l'on mange. Le second besoin est l'apport d'une dose élevée d'énergie pour tout le reste de la journée. Cela pourrait être un prétexte pour manger des glucides et se confirmerait si vous couliez du béton toute la journée. Mais, de nos jours, il n'y a pas beaucoup de travail qui nécessitent un dîner riche en glucides. Aussi, je n'en recommande pas si vous n'avez pas ce genre de métier.

Emportez-le avec vous

Si vous travaillez hors de la maison, vous vous ferez le plus grand bien en **emportant votre propre déjeuner** avec vous. C'est la seule manière pour savoir avec certitude que ce que vous mangerez est sain. Si vous avez fait des efforts pour manger de meilleures collations, vous emporterez de toute façon une collation, aussi vous pouvez ajouter à votre sac un déjeuner. (Votre collation est évidemment une banane, une pomme, ou n'importe quel fruit ou légume qui vienne satisfaire vos besoins entre les repas.) Emporter votre repas vous procure plus de souplesse car vous pouvez en manger un peu à l'heure du déjeuner et en garder un peu pour plus tard si vous le souhaitez. Essayez ça : vous pourriez trouver qu'en manger la moitié maintenant et l'autre plus tard vous coupe l'impression d'être trop rassasié ou d'être trop affamé. Également, vous ne serez pas tenté de penser que vous aurez quelque chose de plus sain plus tard au moment opportun, juste quand, cette après-midi-là, le reste de l'équipe veut aller manger une pizza.

Si vous avez des enfants, la dernière recherche suggère que la meilleure façon pour les empêcher de devenir gros est de s'assurer qu'ils mangent un déjeuner sain que vous leur aurez confectionné. Après tout, si la seule chose que vous faites est de leur donner quelques dollars, est-ce que vous espérez vraiment qu'ils choisissent de la nourriture et des boissons saines ?

Sans considérer le lieu où vous travaillez et ce que vous faites, vous aimeriez manger légèrement. Une salade est le choix le plus sain et le plus commode pour le déjeuner (et le dîner). Il y a plein de façon de faire une salade et la plupart d'entre elles sont saines. Vous trouverez un grand nombre de choix de salade à l'Appendice II : Recettes rapides et saines (page 217). Une salade vous procure beaucoup d'éléments nutritifs sains et goûteux et ne vous ramollie pas comme un burger ou des frites pourraient le faire. Des personnes m'ont dit qu'une salade est peu pratique et met du temps à être préparée. Pourtant, il n'en va pas nécessairement ainsi. Pleines de choses peuvent aller dans une salade. Malgré qu'ils soient périssables, ces aliments resteront consommables au cours de la journée comme par exemple les champignons, les oignons, les tomates et les cœurs d'artichauts. J'aime mettre du poulet grillé dans ma salade pour ajouter des protéines. Si vous pensez ne pas pouvoir emporter une salade au travail, il y a d'autres options. Un sandwich au poulet grillé et aux tomates, de la laitue et d'autres légumes sont des options saines à emporter. Vous pourriez aussi considérer qu'un sandwich bon et sain pourrait être une bonne solution pour le repas riche en énergie qui vous maintiendra toute l'après midi, notamment si vous le combinez avec du PGX^{MD}. Rappelez-vous simplement, si vous n'avez pas de réfrigérateur au travail, emportez un sac iso-thermique avec de la glace pour maintenir la fraîcheur des aliments. Quelque soit le déjeuner sain que vous choisissez, oubliez les croustilles de pommes de terre et les desserts très caloriques. De plus, si votre choix est de manger au restaurant, souvenez-vous que vous êtes celui qui pait la note. Il n'y a pas de problème à vouloir indiquer que vous voulez de la nourriture saine. Les viandes et les poissons grillés sont toujours de bonnes options. Demandez seulement à être servi sans sauce. Prenez garde aux calories cachées dans certains plats comme les légumes grillés qui sont souvent badigeonnés d'huile par les chefs pour donner un meilleur aspect visuel. Indiquez exactement ce que vous voulez au serveur et ne soyez pas embarrassé si vous avez besoin de passer des commandes spéciales. Votre santé doit être votre première préoccupation et non pas l'orgueil du chef ou bien ce que pense la personne qui vous accompagne. Un autre conseil est d'appeler à l'avance le restaurant où vous avez prévu de dîner et de leur demander quel est le menu le plus sain qu'il propose, ou bien encore, qu'est-ce qu'ils pourraient faire pour s'adapter à vos besoins. En posant ces questions à l'avance et en commandant votre repas avant même d'être arrivé, vous n'aurez pas à vous sentir mal à l'aise ou paraître exigeant(e) lorsque vous commanderez à la table.

Cette semaine, concentrez vos efforts pour manger un déjeuner sain tous les jours. Cela peut faire la différence entre un après-midi extrêmement productif et un après-midi mollasson et peu productif. Assurez-vous d'organiser une récompense en fin de semaine pour vous motiver à rester fidèle aux actions saines de cette semaine.

Faites le point – Le nombre de jours où j'ai…

1	Bu de l'eau	_____	(7 max)
2	Supprimé mon *vice alimentaire*	_____	(7 max)
3	Mangé des substituts sains	_____	(7 max)
4	Fait du sport avant de regarder la télé	_____	(5 max)
5	Accompli les actions de tous les jours	_____	(7 max)
6	Prononcé mon affirmation quotidienne	_____	(7 max)

Ajoutez vos points et regardez où vous en êtes.

Un total de point de :

34–40	**Excellent** – vous êtes très impliqué et faites de bons choix et des changements positifs ;
27–33	**Bien** – encore un petit effort et vous aurez des actions saines continues et cohérentes ;
21–26	**Moyen** – vous pouvez voir des résultats, mais vous avez besoin d'être plus impliqué et de faire plus d'effort ;
Moins de 20	**Mauvais** – Il vous faut revoir vos objectifs et votre concentration ; vous avez besoin de vous efforcer à maîtriser ces trois actions seulement ; continuez cette partie du programme une ou deux semaines de plus avant d'avancer.

Objectif de la semaine :
Prendre un déjeuner sain tous les jours

Récompense de fin de semaine :

SEMAINE 12

Actions> (1) Suffisamment d'eau ; (2) Des substituts sains ; (3) Faire de l'exercice avant de regarder la télé ; (4) Visualiser un futur sain ; (5) Ajouter un fruit ou un légume et prendre du PGX[MD] avant chaque repas et collation ; (6) Augmenter l'exercice physique ; (7) Ajouter des fibres ; (8) Faire le ménage ; (9) Ajouter un supplément quotidien ; (10) Manger un petit-déjeuner sain ; (11) Prendre un déjeuner sain ; (12) Manger un dîner sain.

Maintenant que vous entrez dans la dernière semaine du *programme de la diète coupe-tentations*, je suis certaine que vous savez ce que cette semaine vous réserve. Un dîner sain, c'est bien ça. La dernière mesure à prendre pour atteindre un mode de vie sain et en bonne forme physique, bien qu'elle ne soit pas en quantité la plus importante est de vous concentrer sur ce que doit être votre dernier repas de la journée.

Pour un trop grand nombre de personnes, le dîner arrive lorsqu'ils sont affamés. Vous avez travaillé toute la journée et avez passé l'après-midi sans apport nutritif. Même si nous avons mentionné l'importance de ne pas attendre d'être affamé pour manger et le rôle d'une collation saine pour éviter ce phénomène, il nous reste une technique à étayer.

Une des choses les plus difficiles est de prévoir un dîner sain, surtout quand vous et/ou votre époux (se) travaillez en dehors de la maison. Il est alors peut-être très tentant de prendre quelque chose à emporter sur le chemin du retour. Pour cette raison, je vous recommande de boire un mélange velouté protéiné avant de quitter le bureau. Vous aurez plus de chance de ne pas arriver à la maison avec une pochette de frites disposée sur le siège passager !

Si vous avez attendu trop longtemps sans manger ou si vous n'avez pas eu le temps de prendre des collations appropriées, le dîner devient alors le plus grand repas de la journée. Malheureusement, avoir son plus grand repas à une heure aussi tardive est l'occasion pour consommer trop de calories sans avoir l'opportunité pour les brûler, en raison d'un manque de temps avant d'aller au lit. C'est sans surprise, une grande probabilité de prendre du poids. Le temps passé en famille à table peut-être très agréable, mais les calories ingérées ne le sont pas. Toujours est-il, ne pensez pas que dîner sur le pouce est plus sain. Comme tant de personnes, vous ne passez pas un temps prolongé à table pour le dîner à cause du rythme rapide de la société d'aujourd'hui. Cependant, vous pourriez peut-être manger encore trop de nourriture mauvaise et au mauvais moment.

Dîner au bon moment

Vous ne souhaitez pas prendre un grand nombre de calories si c'est seulement pour rester assis ou allongé. Aussi, ne prenez pas votre dîner à un horaire rapproché de celui du couché. Une autre raison pour laquelle nous mangeons tard est due à la télévision. La plupart des gens regardent la télé le soir. Les collations ont grandes chances d'y être associées.

Faire de l'exercice et le repas du soir

Si vous avez respecté votre engagement en faisant de l'exercice physique au quotidien, j'imagine que vous en faites juste après votre travail. Si vous faites de l'exercice après le travail, c'est que vous devez probablement repousser l'heure du dîner. Cela peut être bien, mais aussi risqué.

L'exercice physique a tendance à provoquer la faim et a une grande chance de vous inciter à manger plus. Pour faire de l'exercice tout en évitant les conséquences de manger trop, vous devez avoir une collation et de l'eau avec vous quand vous quittez le travail. Assurez-vous que votre collation va vous procurer l'énergie nécessaire pour accomplir l'exercice que vous faites. Si vous marchez trente minutes, vous pouvez alors prendre une banane, une pomme ou ¼ de tasse de noix. Si vous faites vingt minutes de course à pied suivit par trente minutes de musculation, prévoyez quelque chose de plus conséquent, tel qu'un mélange velouté protéiné avec un fruit.

Après avoir fait de l'exercice, vous allez manger votre dîner au moment opportun. Toutefois, quand vous rentrerez à la maison, vous ne vous assiérez pas en face d'un plat de viande, de patates, de légumes, de pain et ainsi de suite. C'est parce que vous ne voulez plus manger toute cette nourriture en une seule fois. **Le dîner doit devenir le repas le moins important des trois repas de la journée**. Parce que vous avez eu une pré-collation avant de faire de l'exercice, faites que votre post-collation vous permette de récupérer et de vous ressourcer : mangez un mélange riche en protéine, sans gras, faible en féculent ou un aliment aux caractéristiques similaires. Vous n'avez pas besoin d'une dose d'énergie supplémentaire prise sous forme de glucides si vous allez dormir et vous n'en voulez plus de calories puisque vous essayez de perdre du poids. Même si vous ne faites pas d'exercice physique après le travail, le principe du repas fragmenté s'applique aussi à vous. Ayez quelque chose d'un peu plus sain avant de rentrer à la maison, prenez votre PGX^MD comme d'habitude et n'accumulez pas les calories à table au dîner.

Maintenant que le dîner est devenu le repas le moins important, comme cela doit se faire, le déjeuner doit devenir le repas le plus important, alors que le déjeuner doit conserver son statut intermédiaire. Commencer votre journée avec de bons nutriments vous montrera le niveau d'énergie et de productivité qui est le vôtre et à quel point votre esprit est vif. Le déjeuner apportera un prolongement de ce niveau d'énergie et de vivacité. Le dîner doit être un repas plus léger pour procurer une récupération, donnant à vos muscles et vos tissus (incluant votre cerveau) des éléments nutritifs nécessaires pour que vous puissiez vous détendre et vous relaxer. Vous pouvez manger deux ou trois fois en plus, une fois l'après-midi, une autre avant de faire de l'exercice et une dernière collation au moins une heure (peut-être deux) avant de vous coucher. Faites-en ainsi et vous mangerez six fois par jour ! Beaucoup d'experts s'accordent pour dire qu'il vaut mieux fragmenter votre apport alimentaire en six petits repas plutôt qu'en trois grands repas.

Quatre aspects d'une bonne diète

1. Le petit-déjeuner est le meilleur repas de la journée – ensuite le déjeuner et le dîner ;
2. Les collations saines permettent de garder un niveau d'énergie optimal et empêche une chute des taux glycémiques ;
3. L'apport nutritif au cours de la journée (jusqu'à six fois par jour) vous tient prêt à n'importe quelle tâche ;
4. Vous aurez plus d'énergie et bénéficierez d'une récupération plus rapide, surtout après avoir fait de l'exercice.

Commencez votre journée du bon pied, appuyez votre premier repas sain avec un dîner sain et riche en énergie suivit d'une collation dans l'après-midi et peut-être, une autre avant de faire de l'exercice. Assurez-vous de vous récompenser cette semaine.

Faites le point – Le nombre de jours où j'ai…

1	Bu de l'eau	_____	(7 max)
2	Supprimé mon *vice alimentaire*	_____	(7 max)
3	Mangé des substituts sains	_____	(7 max)
4	Fait du sport avant de regarder la télé	_____	(5 max)
5	Accompli les actions de tous les jours	_____	(7 max)
6	Prononcé mon affirmation quotidienne	_____	(7 max)

Ajoutez vos points et regardez où vous en êtes.

Un total de point de :

34–40	**Excellent** – vous êtes très impliqué et faites de bons choix et des changements positifs ;
27–33	**Bien** – encore un petit effort et vous aurez des actions saines continues et cohérentes ;
21–26	**Moyen** – vous pouvez voir des résultats, mais vous avez besoin d'être plus impliqué et de faire plus d'effort ;
Moins de 20	**Mauvais** – Il vous faut revoir vos objectifs et votre concentration ; vous avez besoin de vous efforcer à maîtriser ces trois actions seulement ; continuez cette partie du programme une ou deux semaines de plus avant d'avancer.

Objectif de la semaine :
Prendre un dîner sain tous les jours

Récompense de fin de semaine :

Bilan semaine 12

Tout d'abord, mes félicitations pour avoir tenu jusque là ! J'espère que vous êtes aussi excité que moi à l'idée de terminer cette douzième semaine de changements sains dans votre quête d'un nouveau mode de vie en santé et en forme physique. Fêtez votre accomplissement !

Si vous avez à ce stade l'impression que vous n'êtes pas parvenu à terminer vos actions, ne vous désespérez pas. Vous n'êtes pas obligé d'achever chaque action pour perdre du poids, parce que ces changements ne sont pas seulement destinés à perdre du poids. C'est plutôt de réussir à maintenir sa perte de poids. La seule façon pour y arriver est de choisir un mode de vie sain et en forme physique, ce qui signifie développer progressivement, mais sûrement vos habitudes saines. Si vous pouvez avoir des habitudes saines la plupart du temps, vous vous rendrez compte que vous n'aurez plus besoin de faire la diète et vous n'aurez plus de problèmes liés aux fluctuations importantes de votre poids.

Nous faisons tous des erreurs, nous avons tous des moments de doutes et même des moments où nous sortons du droit chemin. Parfois, sans même le savoir jusqu'à ce que les effets indésirables de nos actions apparaissent. La plupart du temps, nous constatons les conséquences de nos erreurs et les actions annulées se reflètent par la prise de poids. Cela arrive et il vous est peut-être arrivé la même chose au cours de ces douze semaines. Cependant, en suivant ne serait-ce que la moitié des actions que j'ai décrites, je peux vous promettre que vous n'aurez plus de fluctuation de poids. Si vous adoptez vraiment la philosophie de ce programme, en faisant les choses simplement et en vous tenant aux bases, alors, vous n'aurez plus besoin de vous inquiéter ou de vous demander si vous commencez à sortir du chemin.

Ces questions vont vous aider à déterminer si ce que vous faites en ce moment est en accord avec votre désir, celui d'avoir un mode de vie sain et en bonne forme. De plus, veuillez noter un léger changement à la troisième question puisque nous avons traité des actions nécessaires pour un mode de vie équilibré, sain et complet.

- Quel est mon point de vue sur ce que j'ai accompli jusqu'à maintenant ?
- Comment réagit mon corps maintenant en comparaison à ce qu'il était au départ ?
- Est-ce que je peux continuer à faire ce que je fais ?
- Est-ce que je pense pouvoir le faire toute ma vie ?
- Ai-je une sensation de manque ou suis-je plus habilité ?

Si vous répondez à ces questions positivement, je sais que vous aurez l'impression que votre niveau de confiance en vous s'accélère et cela vous permettra de poursuivre votre quête vers la santé et la remise en forme. Si vous ne pensez pas honnêtement pouvoir répondre positivement à chaque question, continuez à prendre les actions que vous pouvez accomplir en ce moment, et efforcez-vous d'achever celles qui restent, une par une.

La diète coupe-tentations

Sommaire

Semaine 1	*ÉLIMINER* votre vice diététique, les boissons gazeuses – Objectif : consommer 90 % d'eau
Semaine 2	*ÉLIMINER* votre vice alimentaire, les plats rapides – objectif : remplacer le vice par un substitut sain
Semaine 3	*ÉLIMINER* le vice de la télévision – objectif : faire de l'exercice trente minutes par jour, trois jours par semaine
Semaine 4	Objectif – Maîtriser les trois premières actions ; visualiser un futur en santé tous les jours
Semaine 5	Objectif – Fruit ou légume : en ajouter un dans votre régime quotidien et prendre du PGX[MD] avant chaque repas et chaque collation
Semaine 6	Objectif – Faire de l'exercice : Augmenter le nombre de jours/ou la durée
Semaine 7	Objectif – Fibres : augmenter votre apport quotidien en fibre
Semaine 8	Objectif – Ranger : nettoyer et ranger votre cuisine et votre maison
Semaine 9	Objectif – Suppléments : ajouter un supplément par jour pour combattre les radicaux libres
Semaine 10	Objectif – Petit-déjeuner : prendre un petit-déjeuner sain et copieux tous les jours

Semaine 11 Objectif – Déjeuner : prendre un déjeuner sain et riche en énergie tous les jours

Semaine 12 Objectif – Dîner : prendre un dîner léger et sain, tous les jours

Chapitre 7

Rester sur la bonne voie pour une meilleure santé et une remise en forme

Lorsque l'on cherche à atteindre son objectif, il est important d'être motivé. Si vous manquez de raisons pour vouloir atteindre votre objectif-minceur, vos chances de perdre du poids seront diminuées. En conséquence, vos chances pour perdre du poids et vivre un mode de vie sain seront presque nulles. Si vous êtes satisfaits ou si vous vous complaisez à mi-chemin sur le parcours qui mène à ce que vous pensez être le meilleur physique, vous pourriez simplement vous arrêter à ce point, ou pire, *y rester bloqué.*

Lorsque nous vivons une toute petite réussite, beaucoup d'entres nous glissent dans une zone de confort et se complaisent. Ce qui n'est pas nécessairement une bonne chose lorsque l'on sait que nous sommes capables de bien plus. La complaisance peut engendrer la fainéantise. Et la fainéantise engendre les mauvaises habitudes. Alors, peu importe le succès que vous aurez atteint à ce stade, ne pensez pas, ne serait-ce qu'une petite seconde, qu'il est enfin temps de se détendre ou de jouir de vos prouesses et du contrôle que vous avez gagné. En pensant ainsi, vous perdez pied. Cela m'est arrivé tellement de fois que je ne peux m'en souvenir. Je ne peux pas non plus compter les autres personnes rencontrées sur ce parcours qui ont connu ces moments de dérives. Nous commençons à nous contenter de peu, c'est dans la nature humaine.

Quels sont les choses qui vont vous permettre de *rester* motivé maintenant que vous avancez et continuez à développer ces habitudes saines ou bien maintenant que vous vivez ces habitudes saines au jour le jour *pour le restant de votre vie* ? Comment pouvez-vous soutenir votre propre engagement pour la santé au quotidien alors même que les choix malsains sont tout autour de vous ?

Puisque vous avancez vers votre objectif, trouvez ci-dessous quelques conseils/suggestions pour être en meilleure santé et en meilleure forme physique :

- Faites une réserve de bouteilles d'eau et de filtres à eau pour becs verseurs et pichets
- Buvez 8 onces d'eau après chaque réveil
- Trouvez de la nourriture saine comme substitut à celle qui est malsaine
- Faites des abdominaux (courts abdominaux) pendant 90 secondes chaque matin
- Prévoyez des repas et des collations au lieu d'en acheter
- Évitez les restaurants, sauf pour les occasions spéciales
- Mangez un morceau de fruit au petit-déjeuner et avant le déjeuner
- Utilisez le petit-déjeuner pour vous apporter les fibres nécessaires
- Mangez souvent de l'avoine nature – ajoutez-y de l'huile de lin moulue et des germes de blé
- Utilisez le déjeuner pour consommer des légumes (en salade)
- Programmez de l'exercice physique à une heure régulière chaque jour
- Ayez un partenaire d'exercice afin que vous puissiez vous encourager l'un l'autre
- Faites 30 minutes d'exercice aérobic soutenu six jours par semaine
- Faites des exercices de renforcement musculaire trois jours par semaine
- Faites de l'exercice pendant ou à la place de regarder la télévision
- Planifiez de faire quelque chose de physique au lieu de regarder la télévision
- Faites que les passe-temps sains fassent partie de votre vie : lecture de revues, activités divers, voyages, loisirs
- Faites participer votre famille dans vos choix sains

- Mettez l'accent sur un mode de vie équilibré
- Visualisez, chaque jour, une vie pleine de santé et de bonheur – répétez les affirmations quotidiennes
- Adoptez un mode de vie sain et en forme pour le reste et le meilleur de votre vie
- Consommez du PGX^MD à chaque repas

Gardez une
ATTITUDE PSYCHOLOGIQUE POSITIVE
grâce aux affirmations quotidiennes

Établissez un emploi du temps pour vous détendre et pour récupérer

Nous avons tous entendu que « *la vie est trop courte pour...* » – le choix que vous avez à compléter le restant de cette phrase est inimaginable. Nous n'avons vraiment pas besoin et ne devrions pas utiliser notre capital temps pour ne rien faire. Je pense globalement que nous avons tendance à mélanger le repos et la détente en les assimilant à des pauses au cours de la journée. Nous n'accordons que très peu, voire pas d'importance à la détente et au repos. Pourtant, se détendre est tout aussi important et doit faire partie de votre emploi du temps. Il est très agréable de prendre le temps de se concentrer sur rien tout en étant complètement à l'aise et calme. C'est la détente et ce n'est pas ne rien faire.

Beaucoup d'entre nous sont occupés à faire des choses qu'ils n'aiment pas forcément (ou du moins, le faire ne leur procure pas de joie) et préféreraient faire quelque chose d'autre. Cela peut mener à... euh... ne rien faire d'autre que ce qui est nécessaire. Premièrement, *trouvez de la joie dans* ce que vous faites (votre travail, votre carrière, vos corvées, et ainsi de suite) et trouvez le moyen de mieux les exécuter, de mieux les penser ou d'accroître votre efficacité. La deuxième chose est évidemment de programmer un temps de détente (ou de méditation, de prière ou simplement d'être seul et apaisé). C'est un temps pour réfléchir sur les bonnes choses que contient à *présent* votre vie. Cela vous donnera aussi l'occasion de récupérer psychologiquement (et physiquement) à la suite de situations stressantes.

Si vous avez mis un temps de côté exclusivement pour vous détendre, le temps qui n'est pas consacré à la détente sera plus productif car vous serez plus motivé, plus appliqué, plus impliqué ou simplement plus efficace. Soyez lucide, vous ne pouvez pas accomplir un travail, une tâche, ou un projet tout en vous reposant et en vous relaxant en même temps. Pourquoi ne pas planifier un temps de détente qui vous aidera à vous concentrer sur le travail que vous avez à faire ? Ici, ce que je veux vous faire comprendre c'est que le temps réservé à la détente de votre corps et esprit vous permettra d'aller de l'avant pour accomplir vos tâches de la journée, et cela même si vous ressentez le besoin de prendre une pause.

Jetez un coup d'œil à votre journée – *aujourd'hui* – et comptez les minutes passées à ne rien faire d'autre que vous détendre et ressourcer votre esprit. Pas de téléphone, pas de musique, pas de conversation, pas de bruit (si possible) ; le silence total. Il y a plein de livres qui couvrent ce sujet. La plupart traitent du sujet sous l'angle de la méditation. Appelez-le comme vous le voudrez, mais vaquer tout le temps à droite et à gauche, psychologiquement ou physiquement n'est pas bon pour la santé. Gardez quinze minutes avant d'aller vous coucher. Pendant ces minutes, pensez à toutes les bonnes choses de votre vie et à toutes les choses que vous êtes en train d'améliorer. Vous pouvez même utiliser les affirmations positives suggérées ici pour vous échauffer. Suivez bien cette étape, vous serez content de l'avoir fait.

Se fixer des objectifs plus élevés et plus importants

C'est malheureusement vrai : vous pouvez perdre gros si vous ne vous soumettez pas à de plus grands tests ou de plus grands défis. Il y a tellement de choses que vous pourriez sûrement faire, mais auxquels vous n'avez tout simplement pas pensé. En vous fixant des objectifs plus élevés et qui relèvent d'un plus grand défi, votre vie n'en sera que plus intéressante, amusante et aventureuse. Je pense qu'il y a de nombreux préjugés qui suggèrent qu'il faille travailler durement pour pouvoir relever les défis et atteindre ses objectifs. La notion de dure labeur n'existe que si l'on ne trouve aucun intérêt à ce que l'on fait ou si l'on pense qu'il n'y aura aucun avantage à tirer de ce travail acharné. Pourtant, il y a beaucoup d'avantages à tirer des différents types de défis que chaque domaine de la vie nous apporte. Si l'on pense à ceux qui sont liés à la santé et à la forme physique, il y a plein de bénéfices qui peuvent vous inciter à rester en forme ou à être en meilleure forme.

Se fixer des objectifs, c'est peut-être vouloir accroître la durée de l'exercice physique que vous faites normalement. Cela pourrait se traduire en travaillant plus votre niveau de forme physique ou en se fixant un objectif de court terme pour la semaine. Vous pourriez aussi essayer d'en apprendre plus sur la musculation et sur les méthodes qui mènent à un meilleur tonus musculaire. Lorsque vous commencez à faire de l'exercice physique pour renforcer vos muscles, vous pourriez vouloir augmenter le poids que vous soulevez habituellement ou augmenter vos objectifs répétitifs. Ou sinon, maintenant que vous travaillez à augmenter votre niveau de forme physique, vous pourriez peut-être aller au-delà de la moyenne en faisant tout votre possible pour perdre votre cellulite, ce qui exigerez alors que vous comptiez les calories ingérées et celles dépensées. Gardez à l'esprit qu'il y a de nombreuses façons de se fixer de nouveaux objectifs et de nouveaux défis. La raison évidente à ces nouveaux objectifs est de vous inciter à rester concentré sur les nombreuses façons qui existent pour tester vos capacités et vos limites pour qu'au final, vous ne retombiez pas dans une vie faite de mauvaises habitudes et dans un état de santé critique.

Rechercher constamment de nouvelles raisons pour rester en forme

Au-delà même de vouloir maintenir un bon état de santé (ou toutes les autres raisons que vous avez définies), il y a plein d'autres raisons qui devraient vous motiver à vouloir *rester en bonne forme*. Ces raisons vous aideront à rester concentré sur votre objectif-santé et vous feront peut-être du bien en même temps. Par exemple, vous pouvez faire de la compétition, en essayant de participer à une course à pied ou à bicyclette de 5 km lors d'une action de charité. Il y a pleins de courses de charité à différents moments de l'année. Ce sont de bonnes occasions. Il y a par exemple la très célèbre course pour la Cure, organisée par la fondation Susan G. Komen en faveur de la recherche sur le cancer du sein, qui permet d'éveiller les consciences et de collecter de l'argent. En effet, si vous voulez connaître les associations caritatives qui existent, les causes qu'elles soutiennent et les événements qu'elles organisent, visitez http//:running.timeoutdoors.com/charities/ et faites une recherche. Vous pouvez faire une recherche soit par nom soit par cause ; par exemple, santé des enfants, cancer, santé mentale, etc. Ne soyez pas intimidé par ces événements car il y a pleins d'autres participants qui ne peuvent pas tenir la distance à parcourir sans s'arrêter au moins une fois ou deux (voire trois ou plus). L'objectif est seulement d'éveiller les consciences et de collecter de l'argent pour une bonne cause. Impliquez-vous !

Vous pourriez aussi programmer des vacances pour faire une activité physique nouvelle ou atypique. Prenez une destination vacancière qui vous donnera l'opportunité de faire du ski, de l'escalade, du ski nautique et de la bicyclette. Qu'est-ce que vous pensez du vélo de montagne ? (pas facile de monter, mais très amusant de descendre !) Vous n'avez pas à faire ça tout le temps, mais consacrer une moitié de journée à ce genre d'activité physique, comme par exemple marcher, faire du tourisme ou partir en grande randonnée pittoresque (sac au dos), remplira votre corps d'endorphines et d'enképhalines et vous donnera une sensation d'euphorie. Il y a plein d'endroits à visiter où vous pouvez apprécier une ballade pittoresque, profiter de l'histoire de ce lieu ou simplement de la beauté de la nature. Visiter le Mont Rushmore, Old Faithful, ou les chutes du Niagara peut être agréable et pourrait même vous donner de l'inspiration. Également, ces visites vous donneront une opportunité en or pour vous dépenser au grand air !

Limiter le choix des aliments

Une des façons les plus faciles de retomber dans les mauvaises habitudes est d'essayer de nouveaux aliments sur lesquels vous ne vous êtes pas assez informé. Vous pouvez certes essayer des échantillons, mais faites-vous une faveur et choisissez ceux qui se trouvent au rayon légumes de votre supermarché *ou alors* essayez un nouveau type de poisson ou de fruit de mer. Contentez-vous de nourriture simple, comme les fruits, les légumes, les viandes maigres et le poisson, et tout ira pour le mieux. Vous pouvez expérimenter des préparations saines à base de ces aliments, mais mon conseil est *de ne pas vous emmêler les pinceaux avec les nouvelles recettes et les nouveaux aliments.* Il y aura plein d'autres occasions pour ajouter de la variété à vos repas : vacances, anniversaires ou autres occasions spéciales.

Bien gérer votre temps

Maintenant que vos habitudes saines sont bien encrées et que vous tenez votre engagement pour avoir une bonne santé en ne prenant que de bons repas nutritifs, que pouvez-vous faire pour maintenir un meilleur niveau de forme physique ? Une autre façon de faire qui vous assurera de continuer ce parcours est de bien gérer votre temps. Même si vous avancez vers un niveau de forme physique supérieur, il pourrait être difficile de tenir l'emploi du temps que vous vous êtes fixé au quotidien pour faire de l'exercice physique. Vous pourriez commencer à ressentir vos limites, c'est-à-dire ce que vous êtes capable de faire dans l'espace de temps que vous avez. À un moment donné, vous sentiriez le besoin de vous impliquer davantage dans ces habitudes saines.

Pour améliorer votre niveau de santé, vous serez peut être contraint de jongler avec votre agenda et il vous faudra utiliser votre temps plus efficacement. Pour y arriver, vous devrez en faire plus, en moins de temps. Par exemple, faites une liste de toutes vos courses hebdomadaire et faites-les en une seule fois pendant tout un après-midi au lieu d'y aller chaque jour. Vous pouvez cuisiner deux fois plus et conserver les restes pour plus tard. Ce sont seulement des suggestions, mais maintenant que vous faites plus attention à votre temps, vous allez devoir raccourcir ce que vous pouvez, où vous le pouvez pour avoir plus de temps de libre. Vous pouvez aussi créer plus de temps libre en vous levant un peu plus tôt le matin.

Techniques pour avoir plus de temps libre

1. Dormir trente minutes de moins.
2. Travailler plus efficacement – passer seulement un certain temps à chaque tâche.
3. Classer les tâches par ordre de priorité des plus importantes au moins importantes.
4. Déléguer. Vous n'avez pas besoin d'être un super humain, laissez les autres apporter leurs contributions.
5. Ne vous portez pas volontaire pour tout. Contentez-vous des causes qui vous semblent les plus importantes.

Visualiser une vie équilibrée

Perdre du poids doit seulement être une raison parmi d'autres pour faire ce programme. Je ne pense pas que vous réussirez grandement si vous vous focalisez seulement sur la perte de poids, ou sur le poids que vous faites en ce moment. Il est important d'ajuster son état d'esprit à un état d'esprit qui vit un mode de vie sain. Il arrive que nous disions vouloir perdre du poids mais qu'en fait, nous soyons tellement concentrés sur la perte de poids que nous oublions ce qu'il nous faut faire tous les jours pour atteindre notre objectif, c'est-à-dire boire de l'eau, manger de la nourriture saine et faire de l'exercice.

Une façon de vous faire avancer sur le chemin d'une vie saine est d'avoir constamment à l'esprit l'image du type de mode de vie que vous aimeriez avoir. En effet, même si vous avez atteint un niveau de santé et de forme physique qui vous plaît, il est important de renforcer votre vision de la santé. Vous ne voudriez pas en être arrivé si loin si c'est pour oublier la personne que *vous êtes* : une personne qui applique tout ce qu'elle croit de juste, c'est-à-dire une vie en santé et en bonne forme physique. Quand vous cherchez à visualiser la vie que vous allez vous créer, posez-vous des questions qui viendront vous aider à comprendre ce que vous désirez.

- Quel niveau de forme physique souhaitez-vous atteindre ?
- Quel travail faites-vous ?

- Quelles sont les activités que vous pratiquez ?
- Qu'est-ce qui est différent dans votre vie d'aujourd'hui ?
- Qu'est-ce que vous portez comme habits ?
- Quel type de nourriture mangez-vous ?
- Comment les autres vous décrivent-ils ?
- Quel exercice physique vous apporte un défi à relever ?
- Quel est votre niveau d'énergie ?

Pensez aux choses que vous avez ratées, ou celles dont vous vous êtes peut-être privées soit à cause de votre excès de poids, soit parce que *vous pensez que vous n'êtes pas capable de faire ces choses* sans être mince. N'avez-vous jamais pensé… ?

1 « Je vais faire _____ lorsque j'aurais perdu du poids ? »
2 « Ma vie ira mieux quand j'aurais perdu du poids ? »
3 « Je ne peux pas ____ à cause de mon poids ? »
4 « Cette personne ne s'intéressera pas à moi à cause de mon poids ? »
5 « Ils ne m'embaucheront pas à cause de mon poids ? »
6 « Mon problème s'en ira quand j'aurais perdu du poids ? »
7 « Je pourrais manger _____ après avoir perdu du poids ? »

Ce sont de fausses croyances que vous pouvez transformer en affirmations. Voici comment :

- ***« Si je ne commence pas à _____ maintenant, je ne pourrais peut-être jamais perdre du poids. »*** Si vous pensez devoir attendre de perdre du poids pour faire de la randonnée, arrêtez. Commencez à faire de la randonnée MAINTENANT ! Ou n'importe quelle autre activité, n'attendez pas, faites-le dès maintenant. Cela vous aidera à perdre du poids et à maintenir cette perte.
- ***« Si j'attends que la vie s'améliore, les choses pourraient bien ne jamais s'améliorer. »*** Soyez occupé, améliorez ce que vous pouvez, et soyez responsable MAINTENANT ! Votre vie est entre vos mains et non pas dans celles des autres. N'attendez pas.

- « ***Si je pense que je ne peux pas le faire, c'est que j'ai raison. Mais si je pense que je le peux, c'est que j'ai raison.*** » Vous ne serrez peut-être pas en mesure de prendre le chemin le plus court pour atteindre le haut de la montagne, mais vous pouvez marcher tout autour et monter progressivement. Au final, vous atteindrez le sommet, donc commencez dès maintenant parce que vous le pouvez !
- « ***Toutes les personnes qui ne s'intéressent pas à moi aujourd'hui ne mériterons pas non plus ma considération plus tard.*** » Votre poids n'a pas besoin de déterminer votre beauté. La beauté est intérieure. Sachez que vous faites des efforts pour perdre du poids et que le gras n'est PAS un trait de personnalité. Tenez vous droit et soyez resplendissant MAINTENANT. Le poids s'effacera quand vous commencerez à croire en vous et ferez en sorte d'être en bonne santé. Si une personne est brusque avec vous à cause de votre poids, elle ne vaut pas la peine d'être considérée pour un rendez-vous galant même si vous perdez du poids.
- « ***Je suis capable de faire un bon travail parce que je suis consciencieux (se).*** » Ne laissez pas votre poids vous empêcher d'être un atout précieux pour n'importe quelle entreprise. Vous pourriez lâcher tout le potentiel qui est en vous grâce à une amélioration de votre état de santé, mais ce n'est pas si différent des autres obstacles auxquels chacun d'entre nous fait face lorsque nous essayons d'être, de faire et d'avoir.
- « ***Mes problèmes sont uniquement des problèmes si je n'agis pas pour les résoudre.*** » Vous aurez des problèmes quand vous serez mince, ils ne seront simplement pas liés à des problèmes de santé dus au poids. Efforcez-vous de résoudre vos problèmes dès maintenant et vous serez capable d'être en bonne santé.
- « ***Je n'ai pas besoin d'en avoir juste une bouchée parce que cet aliment ne sera jamais bon pour moi.*** » Il ne faut même pas en avoir une. Si vous avez ne serait-ce qu'une bouchée de votre vice alimentaire, vous en voudrez plus, bien plus ! Si nous pouvions manger avec modération les aliments qui nous contrôlent, nous n'aurions pas des taux épidémiques d'obésité.

Vous avez laissé vos désirs et vos envies vous contrôler pendant trop longtemps. Faites les bons choix et vous irez tranquille d'esprit.

De l'élimination des vices aux choix sains

Il viendra un moment où vous n'aurez plus besoin de prêter attention à ce que vous mangez ou ce que vous buvez. Vous aurez vécu assez longtemps sans ces aliments malsains et ces boissons malsaines pour ne plus en avoir envie ou bien ne plus y penser. Votre concentration doit se porter sur le choix d'aliments sains et de boissons saines au lieu de les remplacer par ces produits qui provoquent de véritables désastres pour le poids.

Vous arriverez à un stade où vous n'aurez plus de vice diététique dans votre mode de vie. Évidemment, il y a peut-être des domaines à améliorer, peut-être en aidant les autres, tout en vous aidant. Ces beignets et ces pâtisseries qui sont amenés au travail peuvent être remplacés par un plateau à fruit et des barres granola. Vous pouvez créer plus d'occasions pour soutenir cette cause. Au lieu d'éviter ou de cesser les habitudes mauvaises et malsaines, jouez un rôle proactif en faisant la promotion de la santé autour de vous. Quand vous acquerrez la bonne maîtrise de votre poids et de votre santé, vous pourriez avoir l'impression de pouvoir vivre plus facilement tout en améliorant les vies qui vous entourent.

Vos alliés : le temps et l'effort

Les deux seules choses qui sont vraiment nécessaires pour améliorer votre niveau de forme physique sont le temps et l'effort. Vous pouvez contrôler le niveau d'effort fourni pour vous construire une vie saine. Cet effort revient non seulement à faire valoir l'exercice, mais aussi toutes les décisions que vous prenez et qui influencent directement ou indirectement dans une certaine mesure votre santé. Évidemment, il va sans dire qu'ici, le programme général est destiné à vous aider à faire un changement de cap progressif qui vous mènera au final à prendre uniquement des décisions saines. Je pense qu'il est important de répéter que l'on n'obtient pas une bonne santé en y travaillant à temps partiel. Vous vous êtes peut-être trompé au cours de ces vingt dernières années quand vous pensiez que vous pouviez manger sainement à temps partiel, faire de l'exercice de temps en temps, vivre sans contrainte en fin de semaine tout en restant en bonne santé. Et bien, sachez qu'en faisant ainsi, vous ne pouvez pas rester en bonne santé. Vous ne devriez pas faire ça. Les progrès arrivent en faisant valoir ses efforts tous les jours mais aussi en gagnant la sagesse pour réaliser que ce n'est qu'une question de temps avant que votre corps ne réponde à vos actions.

Il y a beaucoup de facteurs temporels qui semblent être hors de contrôle. Les nombreuses réactions chimiques, incluant le taux auquel votre organisme mobilise la graisse et la transforme en énergie, ne sont pas des choses que vous pouvez espérer changer en une seule nuit. Toutes ces façons de mesurer le poids que vous avez perdu et les pesées sont comme regarder le temps qui passe. Donc, ne gâchez pas votre temps en faisant cela ! Le temps avance à son propre rythme et il en va de même pour votre corps. Toutefois, pour avoir l'impression que les choses avances plus vite, il existe une méthode qui consiste à occuper votre esprit. Restez concentré sur vos actions. Le temps va passer et vous constaterez, comme il se doit, des changements physiques.

Une femme avec qui j'ai travaillé, Lisa, n'avait simplement pas de résultat après s'être lancée dans le programme alimentaire. J'avais l'impression d'échouer autant qu'elle. J'ai décidé de lui donner un ultimatum et je lui ai dit : « fait de l'eau ta seule boisson cette semaine ou sinon je vais devoir cesser nos rendez-vous hebdomadaires ». Et bien, elle s'est endurcie et a seulement bu de l'eau cette semaine là (à l'exception d'un verre de vin pour l'anniversaire de sa sœur). Au cours du rendez-vous qui suivit, je lui ai dit qu'il faudrait qu'elle tienne une semaine de plus en buvant seulement de l'eau et que je n'accepterais aucune excuse. La semaine d'après, j'étais heureuse de savoir qu'elle avait non seulement tenu son engagement, mais qu'elle avait aussi perdu 10 livres (bien que je ne sois pas une mordue de la balance comme vous le savez). Lisa a réussi à perdre 37 livres après quatre mois. Ce qui l'empêchait d'avancer au début était le manque de confiance qu'elle accordait à ce programme. Elle ne pensait pas qu'une action ou deux auraient pu faire bouger les choses. Quand elle ne constatait pas immédiatement un résultat, elle pensait que cela venait confirmer son opinion. Elle n'avait pas compris que chaque action met du temps à produire un résultat. Si ça prend du temps d'accumuler des livres, cela prend aussi du temps de s'en débarrasser.

Pensées saines = Corps sain

Il est également important de concentrer vos efforts pour faire avancer votre état d'esprit là où il a besoin d'aller, c'est-à-dire pour qu'il réfléchisse à tout ce qui est sain. N'imitez pas ces personnes qui parlent de la perte de poids et en discutent avec leurs amis. Ne faites pas savoir à vos amis que *vous savez* qu'il vous faut perdre du poids si c'est pour ne pas prendre d'action pour que cela change. Par « action », je veux dire évidemment faire la diète. Quand vous pensez à perdre du poids en faisant la diète, vous savez par expérience que vous n'aurez que peu de chance de réussir. Cependant, quand vous cherchez à perdre du poids en changeant votre état d'esprit sur ce qu'il faut pour être en bonne santé ou en remplaçant vos pensées destructives par des pensées productives, positives, saines, alors vous *serez gagnant.*

Beaucoup de problèmes de santé sont liés à ce qui se passe dans votre tête, ces choses que nous ne pouvons pas mesurer. La science a démontré comment les pensées destructives et négatives peuvent endommager nos corps. Dans son livre, *Deadly Emotions* (2003, Thomas Nelson), le Dr. Don Colbert décrit les patients qui ont été guéris grâce à un changement de cœur en laissant aller les émotions négatives et douloureuses et en avançant vers un état d'esprit sain. Votre cerveau est la tour de contrôle qui envoie des signaux aux cellules de votre organisme via le système nerveux. Maintenant, imaginez que votre circuit (votre cerveau et vos nerfs) soit dans une certaine mesure court-circuité à cause d'une interférence énergétique. Cette interférence énergétique représente vos pensées négatives et au final, empêche le bon fonctionnement de votre organisme.

Le Dr. Colbert explique : « Le cerveau régule la réponse immunitaire de l'organisme. Lorsque l'influence sur la régulation de votre cerveau est interrompue, il en résulte une *hyper stimulation* de la réponse immunitaire et non pas une diminution de cette dernière. » Il poursuit en disant : « Au final, le système immunitaire fonctionne à une vitesse supérieure et s'attaque même aux cellules *saines* ». Ceci est juste un exemple pour expliquer le pouvoir que peuvent avoir toutes les émotions non positives. Imaginez alors le pouvoir qu'ont les émotions positives !

Influencez positivement vos émotions sur une base régulière. Pour avoir un corps sain, la clé est de rester concentré sur ce qu'il y a de bon dans chaque situation. La vie peut vraiment faire des ravages sur l'esprit si l'on adopte une attitude négative, réduisant même les efforts intentionnels les plus positifs à néant. Par conséquent, je vous recommanderais de cultiver un point de vue plus optimiste à moins que vous ne souhaitiez que les obstacles de la vie ne vous paraissent plus grands qu'ils ne le sont vraiment.

Pensez de cette façon : si vous n'évoluez pas vers des pensées saines et positives *au quotidien*, c'est que vous vous dirigez vers des pensées négatives et malsaines. Une attitude psychologique négative peut à la longue se traduire par un mauvais état de santé (physique, psychologique, social, financier ou spirituel). Vous pourriez attraper plus souvent des rhumes ou d'autres virus. Des conditions plus sérieuses pourraient même se développer. Même si vos pensées négatives ne vous rendent pas nécessairement malade, elles pourraient vous empêcher de prendre soin de vous-même, de manger sainement et de faire de l'exercice physique tout en vous laissant plus vulnérable aux maladies.

La science commence tout juste à saisir les effets des pensées positives sur la santé. Le Dr. Herbert Benson, un cardiologue et un professeur agrégé de médecine à l'Université de Harvard, auteure de dix livres et fondateur du Mind/Body Institute de Boston nous dit « La médecine corps-esprit est dorénavant scientifiquement prouvée ». Il poursuit en disant : « Quand une personne peut se concentrer sur quelque chose d'autre que sa maladie, cela permet à l'organisme de profiter de (sa) propre capacité à guérir »*.

*Selon un reportage dans USA Today – www.usatoday.com/news/health/2004-10-12-mind-body_x.htm.

Soyez préparé

Ne baissez pas la garde ! Le monde est rempli d'endroits et de circonstances qui semblent être conçus pour vous présenter des choix malsains qui, s'ils sont choisis, vont saper votre objectif de maintien du poids et de vivre un mode de vie sain. En effet, les choix moins optimaux seront présents partout où vous irez. Vous les apercevez en conduisant, en marchant, vous les verrez sur les comptoirs des caissiers et ils seront offerts par vos collègues. Se préparer à la tentation et à la distraction est le meilleur moyen de les surmonter. Dans ce qui suit, je vous offre quelques conseils pour vous assurer que lorsque vous serez confronté à la tentation, vous saurez relever le défi.

Se résoudre à rester en bonne santé

Ayez une attitude convaincante. Lorsque vous serez au travail, à la maison ou à n'importe quel événement social ou à un rendez-vous, il sera inévitable de faire face à la tentation, par exemple, de délicieux amuses bouches, des confiseries, ou d'autres aliments goûteux et remplis de calories. Que faire ? Premièrement, vous adoptez une attitude convaincante. Cela veut dire, être convaincu que vous voulez vraiment être en bonne santé et que vous êtes bien résolu à ne pas laisser cette nourriture vous abattre ou vous empêcher d'atteindre ou de maintenir votre objectif-santé et remise en forme physique. Dans cette bataille, votre esprit fera toute la différence en déterminant soit la réussite soit l'échec. Aussi, utilisez-le pour éliminer toutes les choses malsaines qui se mettent en travers votre chemin. C'est bien plus qu'éviter les répercutions d'une simple bouchée de votre vice alimentaire. C'est apprendre à être suffisamment fort mentalement pour développer la confiance et la conviction dont vous avez besoin pour réaliser votre perte de poids à long terme et vivre en bonne santé.

Équipez-vous d'une bonne défense. Le meilleur moyen de se défendre contre les tentations (et pour dire vrai, nous ne sommes pas assez forts pour dire non à chaque fois) est de s'armer de défenses contre ces tentations. Mon deuxième conseil est d'être muni en permanence d'une bouteille d'eau. Elle peut supprimer votre appétit et servir comme substitut aux autres boissons qui vous sont offertes. Quoi d'autre ? Avoir quelque chose à la main est une bonne défense contre les choses que vous ne devriez pas prendre ! Vous pourriez aussi prendre une collation saine sur vous que vous pourriez utiliser comme substitut en cas d'« urgence ». Cela peut être aussi simple qu'une gomme sans sucre pour garder votre bouche occupée avec quelque chose de pauvre en calories. Et évidemment, si vous continuez à prendre du PGX^MD, cela viendra aussi diminuer les envies que vous ne devriez pas avoir.

Connaissez les raisons pour lesquelles vous avez choisi la santé. Évidemment, vous voulez être en bonne santé et en bonne forme physique, mais c'est un objectif de vie général qui s'inscrit à long terme. Manger ou boire un vice juste une fois n'est pas susceptible de gâcher une vie saine faite de bonnes habitudes. Pourtant, cette exception a tout de même une chance de venir la gâcher. Rappelez-vous que votre niveau de forme physique n'est rien d'autre que le résultat de l'accumulation de décisions que vous avez prises au cours des derniers mois. Quand les tentations frappent, vous devez avoir immédiatement des raisons en tête pour dire non aux choix malsains. Vous pourriez aussi dire que vous ne pouvez pas manger maintenant parce que vous allez faire de l'exercice cet après-midi et que vous ne voulez pas vous sentir toute molle. Ce n'est pas une fausse excuse ! Je pense que vous seriez surpris de savoir combien de personnes refusent les collations, les cinq à sept et les gâteaux d'anniversaires parce *qu'en fait elles vont à la gym juste après*. Ces personnes savent ce que vous êtes en train d'apprendre, je l'espère : il n'est pas facile de se motiver pour aller à la gym (ou d'aller dehors faire de l'exercice) lorsque l'on se sent paresseux parce qu'on a mangé une collation trop riche en calories ou bu une boisson trop riche en sucre. Par conséquent, pensez à toutes les choses que vous souhaiteriez accomplir aujourd'hui, exercice physique inclus, et dites non à la nourriture et à la boisson malsaine au nom de la productivité. Vous avez seulement le temps pour ce que vous voulez accomplir aujourd'hui.

Récompensez-vous d'avoir fait des choix sains. Croyez-le ou non, lorsque vous avez prévu cette petite chose à la fin de la semaine pour fêter votre détermination dans votre engagement pour la santé, vous serez encore plus motivé à prendre les bonnes décisions. Vous avez dorénavant d'autres choses à faire progresser, elles vont bien au-delà du plaisir instantané, de la satisfaction et de l'accomplissement à long terme. À vous d'être en bonne santé, d'avoir plus d'énergie et un meilleur physique. À vous d'avoir tout ça et *une récompense aussi* ! Vous pouvez par exemple vous procurer des folies en vous récompensant par un massage de trente minutes à chaque fin de semaine, ou en achetant ce nouveau CD. Peu importe la nature de votre récompense, sachez qu'elle est puissante car elle pourra peut-être vous encourager en vous donnant le surplus de motivation dont vous avez besoin pour faire des choix sains.

« Faites-vous la diète ? »

Enfin, rappelez-vous : si quelqu'un vous demande si vous êtes à la diète parce que vous avez pris la nouvelle résolution de dire non à vos vices alimentaires, répondez, « j'ai trouvé cette bonne méthode pour manger et maîtriser mon poids. » Si vous voulez en dire plus, dites alors « ...et pour être en bonne santé et en bonne forme physique. » Ne dites à personne que vous faites la diète, parce que vous ne la faites pas vraiment. Gardez vos réponses courtes et concentrez-vous sur ce que vous essayez vraiment de faire : éliminer vos vices alimentaires, rester sur la bonne voie et vivre en bonne santé.

Les deux facettes de la santé

Un facteur sous estimé qui détermine si vous avancez vraiment en direction d'une meilleure santé, est la qualité de vos prises de décision. Si vous avez pris une part de gâteau mais vous avez mangé sainement au cours de la journée, cela ne fera pas une grande différence (en assumant que c'est une part normale). Même si cette tarte ne vous encourage pas à développer une bonne santé, la majorité de vos actions de ce jour le feront. Le message ici est le suivant, gardez toujours une vue d'ensemble. Ne mettez pas l'accent sur les détails, mais considérez honnêtement toutes les choses que vous faites ou que vous mangez et qui pourraient avoir un effet sur votre santé globale. Une part de tarte ne va pas vous faire du mal, mais est-ce que ça va vous aider ? Non. Elle peut vous faire du mal d'une manière ou d'une autre sans que vous ne le sachiez. Il se peut que votre niveau d'énergie chute de sorte que vous ne vous sentirez pas de faire de l'exercice physique ou bien que vous n'arriverez pas à fournir autant d'effort dans cet exercice.

Lorsque vous aurez atteint un certain niveau de progrès, il viendra un temps où vous tiendrez quelques jours ou plus sans prendre d'actions qui vont *à l'encontre de votre santé.* (Ce propos assume que vous voulez améliorer votre état de santé et de remise en forme et que vous êtes en train de vous efforcer à atteindre ou à maintenir un niveau encore plus élevé).

Au-delà de saisir la méthode qui vous permettra d'atteindre un état de santé optimal (ou un état de santé et de forme physique plus élevé), il est important de comprendre comment *éviter une mauvaise santé.* La plupart de vos actions (soit ce que vous faites ou choisissez de manger) se font soit en faveur d'une bonne santé soit en faveur d'une mauvaise santé, avec un petit pourcentage de choses rangées dans la catégorie neutre. Lorsque vous commencez à voir les choses sous cet angle et que vous prenez des décisions en conséquence, vous pourrez enfin être capable de dire « non » plus facilement aux choses qui ne vous aideront pas à vivre une vie en bonne santé.

À long terme, il vaut mieux éliminer ces choses qui sont, comme vous le savez, (a) très tentantes et responsables de vous pousser hors du chemin, c'est-à-dire un vice diététique ou (b) qui ne sont tout simplement pas bonnes, et cela indifféremment de la fréquence à laquelle vous en avez, vous en faites ou vous en mangez. Penser de cette manière peut vous donner la maîtrise des choses et vous enlever les complications liées au fait de faire la *diète.* Laissez une petite porte ouverte pour toutes les occasions où vous aurez une part de tarte à la citrouille ou de gâteau de mariage, mais laissez-la ouverte uniquement pour ces occasions spéciales. Avec cette méthode, tout ira bien.

Chapitre 8

Secrets pour rester en forme – intérieurement et extérieurement

Une chose est sûre, vous aurez de temps à autres des problèmes, des difficultés ou des obstacles à surmonter, qu'ils soient petits ou grands. Parfois, ces difficultés peuvent venir entraver le bon déroulement de nos objectifs santé et remise en forme. Toutefois, je peux vous révéler quelques secrets ou quelques astuces qui peuvent vous aider à améliorer vos conditions de santé psychologique et physique, cela même dans les moments de stress.

Améliorer sa santé et son niveau de forme physique

Introduisez chaque conseil dans votre vie quotidienne... un par un.

- Planifiez un temps pour vous détendre et récupérer
- Fixez-vous des objectifs et des défis nouveaux
- Concentrez-vous sur de nouvelles raisons pour rester en bonne forme
- Limitez vos choix alimentaires
- Gérez efficacement votre temps
- Prenez des mesures préventives pour enlever les toxines
- Visualisez une vie équilibrée, en bonne forme physique et en bonne santé
- Concentrez-vous plus sur les choix sains et moins sur l'élimination du vice

- Continuez à fournir des efforts et à y consacrer du temps
- Gardez des pensées saines (et votre corps le sera à son tour)
- Préparez-vous tous les jours à vivre sainement
- Déclarez que vous avez trouvé une méthode saine pour perdre du poids
- Concentrez-vous sur les choix qui influencent positivement votre santé
- La vie est courte, donc n'attendez pas trop – *Faites bouger les choses maintenant* !

Pardonner

Au cours des années, j'ai appris qu'il nous faut pardonner lorsque nous surmontons des difficultés ou lorsque nous avançons vers notre objectif. Si vous vous êtes trop goinfré de nourriture malsaine dans le passé (une ou plusieurs fois), vous savez que même si le festin de la crème glacée au chocolat était plaisant, ce n'était pas ce que vous étiez supposé faire pour perdre du poids et être en bonne santé. Vous vous êtes senti coupable. D'ailleurs, qui n'aurait pas ce sentiment ? Et même pour ceux qui n'ont jamais fait la bringue et ont prit du poids d'une façon plus courante, c'est-à-dire en mangeant de plus en plus au fil du temps, peut-être juste en mangeant quelques biscuits aux pépites de chocolat tous les jours, il y a de la culpabilité. En *choisissant* de manger ces biscuits tous les jours (ou n'importe quels autres vices adoptés au cours de ces années, pour moi, c'était de la crème glacée) vous avez probablement accumulé une bonne dose de culpabilité. La peine ne faisant que continuer au fil des ans, voire même augmenter, quand vous faites des choix malsains, vous vous punissez et sabotez vos efforts bienveillants en pensant que manger à la folie vous réconfortera.

Néanmoins, quand vous avez pris conscience des raisons de votre prise de poids, vous vous êtes sans aucun doute trouvé dégoutant ou avez été déçu de vous-même surtout si vous avez par la suite continué à consommer ces vices. Nous sommes tous passés par là et il y a de bonnes chances pour que vous vous bâfriez encore de choses qui vous font du mal physiquement et/ou psychologiquement. Y penser ne vous fera pas du bien non plus. À la place, effacez la culpabilité en vous pardonnant.

La prochaine fois que la culpabilité vous donne du tracas, prenez le temps de prendre du recul et de vous détendre. Essayez de penser pendant un moment au passé et à tous ces moments et ces souvenirs douloureux qui, selon vous, étaient la raison pour laquelle vous avez pris du poids. Par la suite, prenez une grande inspiration et expirez tout en laissant aller les choses du passé au nom du pardon, vous rappelant que nous sommes tous des êtres humains et que nous faisons tous des erreurs. En fait, ne les appelez pas erreurs. Dites plutôt « acquérir de l'expérience ». Vous devez vous débarrasser de la culpabilité parce qu'il n'y a rien de grave. Le pardon vous permet d'avancer et de laisser le passé derrière vous. Si vous ne vous pardonnez pas, si vous ne pardonnez pas non plus les autres pour les douleurs passées, vous pourriez tomber dans une attitude autodestructive. Une telle attitude vous procurera évidemment encore plus de culpabilité et vous entraînera dans un cercle vicieux qui compromettra vos objectifs. Le pardon est une délivrance très puissante qui mènera au final, à une meilleure santé physique et psychique.

Si vous souhaitez acquérir un certain niveau durable de santé physique, je pense que vous seriez d'accord sur le fait qu'il vous faille un bon niveau de santé psychique. Apprenez à vous débarrasser des erreurs passées et lorsque vous fauterez ou vous vous décevrez dans le futur, pardonnez-vous. Plus vite vous pouvez vous confronter à la situation, plus vite vous pourrez aller de l'avant et revenir tout de suite après sur la bonne voie. En effet, si vous voulez renforcer votre état d'esprit, vous pouvez ajuster votre affirmation quotidienne en lisant :

Affirmation positive quotidienne

J'ai hautement confiance en mes capacités et en moi-même. Je suis reconnaissante pour toutes les opportunités que chaque jour nous donne. Je me pardonne pour avoir pris de mauvaises actions aujourd'hui. J'accueille la santé optimale dans ma vie !

Le plateau de l'élimination

Il arrivera un moment où pendant un mois, vous n'aurez pas perdu de poids. Selon la balance, vous n'avez pas perdu une seule livre (vous ne devez pas l'utiliser comme un moyen de mesurer vos progrès de toute façon, n'est-ce pas?). Toutefois, vous vous êtes pesé et n'avez pas constaté une livre de différence depuis votre dernière pesée d'il y a environ un mois. Que faire ? Réglez ce problème tout simplement en ne le créant pas au préalable. Ne vous pesez pas ! Je ne pourrai jamais autant vous dire que monter sur la balance vous mènera seulement à la frustration. En théorie, vous pourriez avoir un mois de programme très réussi : vous pourriez perdre 6 livres de gras tout en prenant 5 livres de muscles. Par conséquent, votre balance vous dira que vous faites du surplace. Grâce à vos efforts, vos vêtements pourraient être trop larges même si la balance vous indique que vous n'avez perdu que quelques onces. Alors, ne vous concentrez pas sur les livres ! Cela n'apportera que de la déception. Concentrez-vous à la place sur le fait que vous fêtez vos quatre mois sans boissons gazeuses, que vous avez perdu une taille de pantalon, que votre apport en eau est à la hausse et que vous n'avez aucun apport en plat rapide. Puis, par dessus tout, vous faites de l'exercice physique pour la première fois depuis des années. C'est une histoire à succès, quoiqu'en dise la balance !

J'apprends à la plupart de mes patients à regarder ce plateau comme une *brève pause*. J'ai compté trois raisons possibles qui expliquent la plupart des plateaux. La première est que votre corps a besoin de **temps pour s'ajuster**. Disons par exemple que vous perdiez entre 8 et 12 livres par mois auparavant alors que maintenant vous ne perdez que 2 livres. C'est peut-être parce que vous êtes dans une phase d'ajustement où votre corps a besoin de temps pour réaliser le changement.

La deuxième raison possible pour atteindre un plateau correspond peut-être au fait que votre régime alimentaire n'a pas encore atteint **un niveau de santé optimal**. Il y a peut-être une habitude qui ralenti votre processus minceur. Avez-vous atteint le stade où vous vous nourrissez à 90 % d'aliments sains ? Avez-vous des vices qu'il vous faut remplacer ? Si vous en êtes toujours au début de ce programme, allez de l'avant et mettez en pratique vos actions saines. Vous ne devriez pas vous inquiéter à l'idée de basculer sur ce plateau. Il est bien trop tôt pour ça. D'un autre côté, si vous avez commencé ce programme il y a six mois, c'est que vous devez vous demander si vous mangez vraiment bien. Rappelez-vous, vivre et manger sainement ne se fait pas à temps partiel. Vous devez vous nourrir exclusivement d'aliments sains.

La dernière raison pour laquelle vous pourriez basculer sur ce plateau est de ne pas en faire assez. Vous avez **seulement besoin d'en faire plus**. Ceci est vrai pour la majorité des personnes qui ont tenu ce programme pendant au moins quelques mois. Plus d'exercice plus intensif et/ou plus longtemps pourrait être la réponse. Qu'est-ce que je veux dire par en faire plus ? Faire en sorte que l'exercice physique soit plus dur sur la même fréquence ou augmenter la durée de l'exercice physique en faisant la même chose pendant une période plus longue. Si vous rendez l'exercice plus dur ou augmentez sa durée, peut-être en ajoutant un temps d'exercice dans votre semaine, vous serez plus fort et/ou plus résistant. Dès lors, ce plateau n'appartiendra plus qu'au passé.

Une dernière remarque : il est aussi possible que vous ayez besoin d'ajouter (ou de *faire plus*) d'exercices pour renforcer votre force musculaire ou sa résistance. Augmenter votre tonus musculaire en soulevant des poids vous aidera à brûler plus de graisses, cela même quand vous ne ferez *pas d'exercice*. En effet, j'ai trouvé que faire de la musculation est la meilleure façon d'échapper au plateau de la santé et de la remise en forme si l'on a déjà atteint au moins un certain régime alimentaire et un calendrier régulier d'exercice physique aérobique.

Les stratégies pour éliminer le plateau

- Être patient
- Terminer ce programme
- Enrayer les vices diététiques
- Faire plus (ou changer) d'exercices physiques

Rester fidèle au programme

Perdre de vue le programme que vous vous étiez fixé au début est une raison courante de perte de son dynamisme, alors même que vous parveniez à un mode de vie sain. Maintenant que vous avez gagné en confiance grâce aux succès que vous avez eu (perte de poids), il est facile d'oublier toutes les choses que vous avez dû faire pour y parvenir. Nous rentrons tous facilement dans une routine. Nous nous réveillons à une certaine heure, arrivons au travail à un horaire précis et allons nous coucher autour de la même heure, cela presque tous les jours. Si vous avez mis en place une telle routine et de telles habitudes, vous pourriez penser que vous avez dorénavant la situation bien en main. Si c'est le cas, c'est que vous avez oublié une partie de l'équation. Rappelez-vous qu'écrire un programme tous les jours est une des choses qui vous permet de « maîtriser » la situation. Assurez-vous d'utiliser un agenda ou un emploi du temps et de vous y référer fréquemment. Vous y avez inscrit les choses qu'il vous faut accomplir. Ces choses qui vous rendent responsable de votre santé. Ne laissez pas ces détails sortir de votre esprit.

Avoir un programme sur papier est important pour améliorer votre bon état de santé et de remise en forme ou leur maintien. Il y a plein de raisons à cela. Résumons celles qui sont les plus importantes :

Avantages à avoir un programme quotidien écrit sur votre agenda ou votre emploi du temps

1. Les tâches deviennent plus sérieuses.
2. Vous vous engagez à les réaliser.
3. Vous devenez responsable de votre bonne santé.
4. Vous ne pouvez pas « oublier » de les accomplir.

Nous avons tous beaucoup à faire et cela tous les jours. Je suis certaine qu'il y a même plein d'autres choses que vous aimeriez pouvoir faire dans votre journée. Pourtant, vous pensez ne pas avoir le temps de les faire. Avoir un programme sur papier peut vous aider à gérer votre temps et voir où il y a des ouvertures pour pouvoir entreprendre de nouvelles actions. Vous pouvez commencer ce nouveau loisir, suivre ce programme éducatif ou entreprendre ce projet de volontariat que vous avez toujours souhaité faire, une fois que vous pourrez voir où le caser dans votre emploi du temps. Vous serez aussi capable de voir ce que vous faites et qui n'est pas aussi important que vous le croyiez et qui, du coup, vous montrera où vous avez de la place pour cette autre chose que vous avez tellement souhaité accomplir ces derniers mois (ou années).

Ce qui suit explique, selon moi, ce qui arrive à la plupart d'entre nous quand nous prenons de l'âge : nous sommes occupés à faire plein de choses, passant du travail aux corvées ménagères, plus les activités des enfants et ainsi de suite. Nous pensons souvent à toutes les autres choses que nous pourrions faire et parlons à nos amis et notre famille de ces espoirs et de ces rêves. Au fil des années, il y a un véritable catalogue d'idées et de notions qui traversent notre esprit. À un certain moment, si nous n'écrivons pas ces idées et ne nous engageons pas à les réaliser, notre esprit ne nous en suggérera plus parce que ces dernières n'auront *jamais été concrétisées*. Que ce soit un nouveau diplôme, un artisanat, une activité, un service, un travail volontaire charitable, une campagne, ou quoi que ce soit d'autre, vous devez avoir à l'esprit que ces choses valent d'être considérées. Elles valent la peine d'être considérées parce que *vous y avez pensé* ! Le moyen le plus sûr pour que vous les considériez est de les *noter lorsque vous y pensez*. Faites que ces nouvelles pensées stimulantes fassent partie de votre programme continu de vie. Vous ne savez pas où pourraient vous mener ces idées !

Le rôle de l'hygiène

Croyez-le ou non, améliorer son hygiène est une excellente façon de vous propulser vers une santé optimale et de garder une dynamique pour avancer. Une bonne hygiène est également importante pour maintenir une bonne santé à long terme et vous offre de très bons moyens pour renforcer votre engagement pour être en santé, cela même lorsque vous faites face à la tentation au quotidien.

Cela peut paraître bizarre, mais ça ne l'est pas. Il y a de nombreuses façons d'améliorer votre état de santé grâce à l'hygiène. Peut-être que vous ne les avez jamais prises en compte. Par exemple, se brosser les dents après *chaque* repas et *chaque* collation et utiliser une solution pour l'haleine juste après pourraient prévenir la prise de collations qui sont faciles à cacher et à manger pendant la journée.

Améliorez la qualité de l'air que vous respirez en installant un purificateur à air. Selon l'*Environmental Protection Agency* (*EPA*)* , « Les effets des polluants intérieurs qui affectent la santé à court terme peuvent causer une irritation des yeux, du nez et de la gorge, des maux de têtes, des vertiges et de la fatigue. Ces effets si immédiats sont souvent de courte durée et traitables. Les symptômes de certaines maladies, comme l'asthme, l'hyper sensibilité des voix respiratoires et la fièvre dues aux humidificateurs peuvent également apparaître lorsque l'on est exposé aux polluants intérieurs. » Selon l'*EPA*, un purificateur à air qui est un « récolteur de polluants très efficace et qui a un taux de circulation de l'air élevé » est un modèle idéal à avoir. Faites de votre foyer un endroit propre *et respirez* !

Prendre le temps de garder votre cuisine et le reste de votre maison propre, mais aussi vos vêtements, votre voiture, votre lieu de travail et enfin un corps soigné renforcera votre engagement pour la santé dans votre vie. Si vous avez pris le temps de ranger et de nettoyer toutes les pièces que vous fréquentez, alors vous ne voudrez certainement pas gâcher votre propre image en mettant quelque chose de « sale » (malsain) dans votre corps.

Lavez-vous les mains plus souvent. Vivre avec un très bon état de santé et de forme physique exige que vous vous exécutiez en faveur d'une bonne santé ; laver vos mains en fait partie. Selon le *Center for Disease Control* (*CDC*), « la chose la plus importante que vous puissiez faire pour vous empêcher de tomber malade est de vous laver les mains. »†

Adoptez cette attitude pour continuer à faire tout votre possible pour que tout soit sain. C'est seulement de cette manière que vous pourrez vous assurer d'être en bonne santé.

*Tiré du site www.epa.gov/iaq/pubs/insidest.html
†Tiré du site CDC : www.cdc.gov/ncidod/op/handwashing.htm

Revitaliser votre système digestif

Ne vous êtes-vous jamais demandé si vous hébergiez un peu trop de toxines ? Même si vous ne travaillez pas en contact avec des éléments chimiques ou ne vivez pas dans une ville où l'air est pollué, vous ingérez des toxines tous les jours à travers votre peau ou en mangeant des aliments. Un régime alimentaire sain basé sur trois repas sains par jour, associé avec des collations saines vous aideront certainement, mais cela ne suffit pas. Suivre un programme de nettoyage est un bon moyen d'aider votre corps à mieux utiliser la nourriture que vous lui apportez tout en vous protégeant de l'accumulation des toxines. Je recommande la prise de la cure dépurative nutritionnelle de sept jours de Natural Factors. Il inclut deux mélanges de boissons en poudre (RevitalX^MD et Detoxitech^MD) et des suppléments pour le côlon et pour le foie. C'est un programme d'une semaine pour soutenir la santé intestinale. Il désintoxique en douceur le côlon et le foie. En suivant ce programme de sept jours plusieurs fois pendant l'année, la plupart des personnes perdent du poids, gagne en vitalité et d'autres bienfaits pour la santé.

La science nous a montré que les personnes qui ont des allergies alimentaires, qui ont des problèmes de poids ou qui souffrent d'envies ont souvent « un intestin perméable ». Cela veut dire que les particules alimentaires, les acides et les microbes malsains peuvent entrer dans la circulation sanguine puis provoquer un grand nombre de problèmes de santé. RevitalX^MD est un produit qui aide l'intestin à guérir et Detoxitech^MD complète le processus de désintoxication. En faisant la cure de sept jours, vous pouvez apposer les finitions pour votre nouveau mode de vie sans vice.

Trouver la motivation

Si vous avez accompli toutes les choses que vous aviez prévu de réaliser dans votre vie, c'est que vos objectifs étaient trop petits. Si sur une feuille vous pouvez cocher tous les buts que vous avez atteints ou que vous pensez avoir atteints, qu'ils soient liés à la santé, au travail ou à tout autre domaine de votre vie, vous pourriez ressentir un manque complet de motivation pour continuer à toujours faire des choses et à les améliorer encore et encore. Il y a toujours quelque chose de plus que vous pourriez faire. Si vous ne pensez pas qu'il en soit ainsi, pensez qu'il y a *toujours* quelqu'un d'autre que vous pourriez aider.

La motivation n'est pas la volonté, ce n'est pas quelque chose dont vous êtes doté à la naissance, ce n'est pas non plus quelque chose gagné grâce à une tiers personne. Se concentrer uniquement sur la perte de poids peut être démotivant. Vous pourriez vous faire du mal en adoptant l'attitude « fais pas ci, fais pas ça », « je dois éviter ça » et « je ne peux pas manger ça ». La motivation vient quand vous apercevez que vous êtes en manque de certaines choses, les choses qui pourraient faire appel à votre concentration et donc attitrer votre attention. La motivation c'est choisir de « voir » ce que vous n'aviez pas vu auparavant. C'est une relation de cause à effet. Vous réalisez les effets qui sont possibles en prenant des actions et en parvenant à une meilleure santé.

Encore une fois, veuillez trouver ci-dessous quelques raisons typiques qui expliquent pourquoi les gens veulent perdre du poids :

- Avoir plus d'énergie
- Porter de beaux vêtements
- Se sentir attirant
- Vivre plus longtemps
- Être sexy à nouveau
- Penser plus clairement
- Se sentir plus confiant
- Trouver un partenaire pour la vie
- Être la personne que vous voulez être

Par ailleurs, il est important de ne pas s'arrêter à ces raisons parce que vous pourriez en trouver beaucoup d'autres lorsque vous atteindrez un niveau de santé et de forme physique plus élevé. Vous avez un potentiel infini.

Gérer les faux pas courants

Il vous arrivera d'avoir des moments de tiraillements, de trébuchages et de dérapages. Nous en avons tous. Vous devez penser que ce que vous vous efforcez de faire est bon pour vous dans tous les sens du terme. Penser de cette façon renforcera votre santé intérieure et extérieure et les effets sur les autres n'en seront que positifs (directement ou indirectement).

Vous constaterez que plus vous fournirez d'efforts pour améliorer votre santé, plus vous apprendrez. Et plus vous apprendrez et mettrez en pratique ce que vous avez appris, plus vous aurez de chance d'« échouer » ou d'atteindre un résultat différent ou non souhaité. La connaissance et l'expérience que vous allez gagner repoussera tout risque de déception. Il en sera ainsi mais rappelez-vous qu'il vous faut juger la vie avec la question suivante : comment faire face au malheur ? Si vous vivez des déceptions, des résultats non souhaités, des effets inhabituels, ou des difficultés qui engendreront votre colère, le ressentiment, l'hostilité, ou la tristesse extrême, tout ça pendant un certain temps, vous conclurez au final que cette vie n'est faite que de déceptions, ce qui n'est pas le cas. Rappelez-vous que nous faisons tous face à des problèmes, petits et grands. Tout dépend de la façon dont nous choisissons de les gérer.

Gérer les faux pas

1. N'en faites pas tout un fromage – cela arrive.
2. Diminuez le temps où vous n'allez pas bien – pour ne pas baisser les bras.
3. Travaillez à réduire la fréquence à laquelle ces moments arrivent.
4. Choisissez de faire face au malheur avec de la conviction et une attitude positive.
5. Souriez et allez de l'avant.

Réflexions finales

Cher(e) ami(e),

J'espère que vous avez apprécié ce voyage et que vous le continuerez en vous inspirant de tous les rêves que vous souhaiteriez vivre. Rappelez-vous que la perte de poids n'est que le sous-produit des choix sains et des actions positives, et que tous les autres avantages liés à la perte de poids viendront motiver la poursuite d'actions saines et positives. Les choix que vous faites vont au final déterminer si vous allez atteindre et maintenir un poids sain. Prenez la décision de choisir un mode de vie sain. Ne jamais oublier que :

Un mode de vie sain n'est pas une destination – c'est un voyage !

Faites-en une raison de vivre afin de s'assurer que tous les domaines de votre vie soient en bonne santé (votre esprit, votre corps, vos relations, votre travail, vos loisirs, et ainsi de suite). L'idée du potentiel qu'il y a en chacun de nous est vraiment excitante, surtout si vous pensez au fait que nous utilisons moins de 20 % du potentiel dont sont dotés notre cerveau et notre corps. Puisez dans une partie de ce potentiel inutilisé et regardez où cela vous mène !

En fin de compte, c'est vous qui devez être responsable de vos actions, de vos résultats, et de votre vie ! Ce n'est que lorsque vous prendrez cette responsabilité que vous pourrez atteindre les résultats que vous désirez.

Je vous souhaite le meilleur et j'espère que vous allez me rendre visite sur mon site Web. Je veux lire vos commentaires, vos questions, et surtout, votre succès ! J'ai hâte de vous entendre sur www.pgx.com.

Bien à vous en santé,

Julia

Carpe Diète !

Niveaux de santé et de remise en forme

Trouver le niveau qui vous est approprié

Lorsque l'on fait de l'exercice, nous faisons face à une situation relativement similaire à celle où l'on essaie de perdre du poids. Si nous voulons réussir, nous avons besoin de la **bonne méthode**. La mauvaise méthode est de vouloir en faire trop et trop vite. Nous ne pouvons pas vivre en faisant cela pour le restant de nos jours. Lorsque deux personnes achètent le même équipement sportif, mais ont des niveaux de forme physique complètement différents, admettons que l'un soit très sportif et l'autre non, la personne qui a peu d'expérience aura plus de chance, après quelques temps, de se désintéresser de cet équipement.

Vous avez besoin de commencer à faire de l'exercice à un niveau qui vous est approprié, cela en fonction de votre niveau de santé et de forme physique. Une fois votre niveau déterminé, vous devez en tout premier développer une habitude. Plus tard, vous pourrez vous soucier d'augmenter la fréquence, la durée, et l'intensité de l'exercice.

Les niveaux de forme physique et de santé vous donneront une idée pour savoir où commencer, basés sur votre état de santé et de forme physique en générale. Vous pouvez déterminer vous-même votre niveau basé sur le meilleur critère qui puisse vous décrire.

Chaque niveau vous donnera également une meilleure compréhension et une meilleure idée de ce que vont vous apporter les objectifs que vous voulez atteindre. En d'autres termes, vous serez capable de déterminer combien de temps et d'effort il vous faudra fournir pour atteindre le niveau suivant lorsque vous mettrez en œuvre ce programme.

Quelques variables sont à prendre en considération à chaque niveau. La **première** variable est génétique. Ne laissez pas votre patrimoine génétique devenir une excuse pour dire que vous ne pouvez pas perdre du poids ni être en bonne forme physique.

Une **deuxième** variable vient de la différence qu'il y a entre les hommes et les femmes. Cette variable détermine aussi, à un certain degré, le temps nécessaire pour atteindre le niveau suivant. Toutefois, cela n'explique pas pourquoi les hommes ont un métabolisme plus élevé par rapport aux femmes.

La **troisième** variable est liée à l'âge. Lorsque vous vieillirez, votre métabolisme ralentira et vos taux hormonaux ne seront jamais aussi bas par rapport aux années précédentes (ou par rapport à votre vie entière).

Lorsque vous lirez les deux pages suivantes, déterminez deux choses :

1 Quel est mon niveau de santé et de forme physique en ce moment ?

2 Quel niveau de santé et de forme physique voudrais-je atteindre ?

Une fois que vous pourrez identifier votre niveau, vous saurez par où commencer. De plus, une fois que vous aurez choisi le niveau auquel vous aspirez, (celui que vous *visualiserez* tous les jours), vous commencerez à avoir une idée du temps et des efforts qu'il vous faudra consacrer pour y arriver et y rester.

Il y a une différence entre avoir un poids sain et être en bonne forme physique. Les niveaux de santé et de forme physique incluent ces deux aspects. En restant fidèle à certains principes de base simples pour être en bonne santé, je pense que vous serez d'accord pour dire que la réussite devient plus probable et la vie bien plus simple.

Une fois que vous aurez fait des progrès et atteint un niveau plus élevé, vous pourrez alors décider si vous souhaitez entrer dans les détails en déterminant combien de calories vous voulez brûler, cela en mesurant votre taux métabolique de base (TMB). En bref, vous pourrez décider comment vous voulez mesurer la qualité de votre exercice.

Par ailleurs, vous noterez que chaque niveau est associé à un niveau estimé de surpoids. Ceci est seulement une ligne directrice. Même si ce qui suit est une bonne estimation, ne rejetez pas le niveau seulement à cause du surpoids annoncé.

Gardez à l'esprit que nous sommes tous dotés d'une force, d'une taille, d'une longévité et d'une efficacité différente, basée sur notre patrimoine génétique, notre genre, notre âge, et ainsi de suite. Cela ne veut pas dire que nous ne pouvons pas être en bonne santé à chaque niveau. Cependant, certains des critères qui définissent un niveau donné peuvent ne pas s'appliquer à nous.

Facteurs à considérer selon le niveau de la forme physique

1. Degré d'activité physique
2. Endurance/capacité physique
3. Nombres de livres à perdre
4. Connaissance sur la santé et sur la remise en forme
5. Conscience de la santé et de la remise en forme
6. Programme quotidien ou emploi du temps présent
7. Choix sains, incluant les repas
8. Niveau d'attitude positive ou négative
9. Fréquence à laquelle vous tombez malade
10. Engagement général pour la santé

S'il vous plaît, gardez à l'esprit que ce ne sont que des lignes directives et qu'il existe des exceptions et des variations. Les niveaux sont ici présentés en ordre croissant, allant du niveau débutant au niveau de forme physique le plus élevé.

Santé et forme physique – Niveau I, débutant

Qualités de santé et de forme physique, niveau I

Cochez la case qui vous concerne si vous êtes à ce niveau

1 ☐ Vous ne faites pas d'exercice physique, vous n'aimez pas ça, ne voulez pas en faire et en êtes effrayé

2 ☐ Vous n'avez pas d'énergie ni d'endurance. Vous avez du mal à effectuer n'importe quel exercice physique

3 ☐ Vous désirez perdre 100 livres, voire plus

4 ☐ Votre niveau de connaissance sur la santé est limité

5 ☐ Vous ne savez même pas combien de décisions/pensées contribuent à votre mauvais état de santé

6 ☐ Vous n'avez pas de programme, vous êtes concentré à faire seulement les choses qui vous sont habituelles

7 ☐ Vous faites peu de choix sains, si ce n'est aucun, en les laissant peut-être aux docteurs

8 ☐ Vous êtes égaré et sans espoir, voire même apeuré

9 ☐ Pour vous, la maladie est un mode de vie – avec ou sans symptômes notables

10 ☐ Vous ne savez pas ce que c'est que de prendre un engagement pour avoir une bonne santé

Certains critères listés ci-dessus pourraient ne pas vous sembler agréable. Toutefois, un grand nombre d'améliorations peuvent être engagées à ce niveau, contrairement à ce que vous auriez pu penser. Vous avez peut-être fait de mauvais choix diététiques et des choix malsains auparavant, mais vous pouvez toujours faire marche arrière. Je l'ai fait. Vous devez commencer par accepter que la possibilité de vivre une vie en bonne santé et en bonne forme physique existe. Ensuite, il vous faut accepter que vous ayez peut-être besoin d'encouragement psychologique. Donc relevez-vous et allez de l'avant – étape par étape !

Exercice physique : Fréquence : 3 jours par semaine ; **Durée** : 5 à 20 minutes ; **Intensité** : la plus facile ; **Exercices cardio suggérés** : marcher ; **Renforcement musculaire** : aucun jusqu'à la semaine 6, par la suite, petits poids, 20 minutes par semaine. **Résumé** : Le point essentiel est de prendre l'habitude de faire ce qu'il vous est possible de faire selon vous, au moins 3 fois par semaine. Marcher est souvent l'exercice le plus commode. Si vos genoux ou vos articulations vous posent problème, essayez d'utiliser un vélo fixe. L'objectif est de bouger plus souvent et de faire votre possible pour vous faire de l'exercice 4 fois par semaine. Assurez-vous de rendre visite à votre médecin avant de commencer cet exercice ou n'importe quel autre programme. À ce stade, la clé est de faire bouger votre corps et de faire que l'exercice physique devienne une habitude.

Je viens de vous présenter une forme d'exercice basique. C'est vraiment tout ce dont vous avez besoin pour débuter votre parcours de remise en forme. Selon votre progression, augmentez votre intensité, votre fréquence, et/ou la durée de l'exercice.

Synthèse des exercices physiques de base :

(Page suivante)

Temps nécessaire pour atteindre le niveau II : *entre 1 et 3 mois approximativement*

Quand vous aurez fait le niveau I pendant *au moins* quatre semaines et si vous sentez que vous êtes prêt à en faire plus, passez au niveau II, débutant.

Cardio

Facile – (5 à 20 minutes)

*Marche tranquille – niveau de surface plat

Marche tranquille sur la machine (non inclinée)

Pédaler à un rythme tranquille sur le vélo fixe, pas de résistance

*Préféré

Léger à facile – (20 minutes)

Marche à vitesse moyenne (sol plat)

Rythme moyen sur le tapis roulant (pas d'inclinaison)

Vitesse moyenne, résistance faible sur le vélo stationnaire

Rythme de nage tranquille avec 1 minute de repos régulièrement

Léger – (20 à 30 minutes)

Vitesse de marche moyenne (quelques petites collines)

Tapis roulant, rythme moyen (légère inclinaison)

Machine elliptique, rythme moyen, résistance

Vélo fixe, rythme moyen, à faible résistance

Vélo, rythme moyen, quelques collines

Natation, rythme lent avec 1 min repos régulier

Aviron, rythme moyen, faible résistance

Cours aérobique, faible intensité, rythme léger

Boxe, débutant, ou autres cours de cardio

Modéré – (30 à 45 minutes)

Marche rapide (quelques collines)

Tapis roulant, rythme rapide (pente moyenne)

Machine elliptique, rythme rapide, résistance moyenne

Vélo fixe, rythme rapide, résistance moyenne

Vélo, rythme rapide, quelques collines difficiles

Natation, rythme moyen avec 45 sec repos régulier

Aviron, rythme rapide, résistance moyenne

Cours aérobique, intensité moyenne, rythme moyen

Boxe, niveau moyen, ou autres classes cardio

Élevé – (45 minutes ou plus)

Marche rapide – collines difficiles

Tapis roulant, rythme rapide – inclinaison moyenne à dure

Elliptique, rythme rapide – résistance moyenne à dure

Vélo fixe, rythme rapide – résistance difficile

Vélo, rythme rapide – collines difficiles

Natation, rythme moyen – 30 sec de repos régulier

Aviron, rapide – résistance moyenne à difficile

Cours aérobique, haute intensité, rythme moyen

Boxe, niveau avancé, ou autres classes cardio

Tres élevé – (1 heure ou plus)

Renforcement musculaire

Facile

3 lb d'haltères utilisés pour le levage aérien, le bras se pliant, genoux et coudes sans poids, (seulement les mouvements de base) ; Pas plus de 12 répétitions pour chaque mouvement, 3 fois par semaine

Léger à facile

5 lb d'haltères utilisés ; 15 répétitions : le bras plié, levé vers la tête, genoux et coudes sans poids, (seuls les mouvements de base) ; 12 à 15 répétitions pour chaque mouvement, fait 3 fois par semaine

Léger

10 à 20 lb d'haltères ; 15 répétitions : flexion des bras, levés vers la tête, accroupi tout en tenant un manche à balai ou une barre droite derrière le cou de moins de 10 lb. OU envisager de commencer un circuit facile à la salle de gym, ou utiliser un appareil d'exercice tout-en-un à domicile – soit, en commençant avec 4 exercices simples, poids faible, 2 séries de 15 répétitions pour chaque série, effectués 3 fois par semaine

Modéré

Compléter les exercices de renforcement musculaire : 5 exercices minimum (1 de chaque) – poitrine, dos, jambes, biceps, triceps, épaules et les abdominaux ; 3 séries utilisant un poids moyen (niveau de difficulté) avec 15 répétitions à chaque série, réalisé 3 fois par semaine. À ce stade, une adhésion à une salle de gym est pratiquement indispensable. L'environnement et la variété des machines vous encourageront à progresser sur l'échelle de remise en forme.

Élevé

Le renforcement musculaire de routine – ½ des muscles sur un jour, l'autre ½ un autre jour, avec un ou deux jours de repos, puis répéter ces deux jours ;

Ex : Jour 1 – poitrine, dos, épaules, abdominaux

Jour 2 – jambes, triceps, biceps, abdominaux

Jour 3 (et 4) REPOS

Jour 4 (ou 5) – Répétez Jour 1

Jour 5 (ou 6) – Répétez Jour 2

Jour 6 (ou 7) – REPOS

Très élevé

Santé et forme physique – Niveau II, débutant

Critères de santé et de forme physique au niveau II

Lorsque vous êtes à ce niveau

1 ☐ Vous ne faites pas d'exercice, en avez peu fait dans le passé, si ce n'est pas du tout et n'aimez pas ça

2 ☐ Vous avez peu d'énergie et peu d'endurance, vous avez des difficultés à tenir vos journées

3 ☐ Vous désirez perdre entre 70 et 100 livres – peut-être en vous abandonnant dans les diètes pendant des années

4 ☐ Vous avez peu de connaissance sur ce qu'est un mode de vie sain

5 ☐ Vous ne considérez pas les conséquences de vos choix, saines ou pas

6 ☐ Vous n'avez pas de programme, peu d'espoir. Vous avez le désire de changer, mais ne savez pas par où commencer

7 ☐ Vous faites de mauvais choix de nourriture et de boissons, pas beaucoup de choix sains

8 ☐ Votre attitude est souvent négative ou peu enthousiaste – peut-être pas de façon notable

9 ☐ Vous prenez constamment des médicaments pour tout – vous tombez trop souvent malade

10 ☐ Vous vous inquiétez pour votre santé, mais manquez de motivation – vous avez l'impression d'être surmené

Si vous avez l'impression que vous vous identifiez le plus à ce niveau de santé et de forme physique, il est temps de se bouger. Vous n'aimez peut-être pas faire de l'exercice physique et en avez même peut-être peur parce que vous appréhendez que les autres ne vous regardent. Vous n'êtes pas seul si vous vous sentez ainsi. Faire de l'exercice est probablement le plus grand obstacle auquel vous avez fait face. Heureusement, les changements simples qui viennent avant de faire de l'exercice vous procureront assez d'avantages pour que vous puissiez croire qu'une bonne santé et une meilleure vie sont vraiment à votre portée.

Exercice : Fréquence : 3 fois par semaine ; **Durée** : 20 minutes ; **Intensité** : Faible ou facile ; **Exercices cardio suggérés** : marche, tapis roulant ou vélo fixe ; **Renforcement musculaire** : aucun jusqu'à la Semaine 6, puis poids légers, 20 minutes deux fois par semaine. **Résumé** : Travaillez et faites en sorte que vous vous sentiez plus à l'aise en faisant certains exercices cardio au moins 3 jours par semaine et augmentez par la suite votre fréquence en faisant ces exercices jusqu'à 4 jours par semaine pendant 30 minutes. 2 semaines après avoir atteint ce stade, essayez des exercices de renforcement musculaire simples, juste quelques haltères qui peuvent être utilisés à la maison en faisant des mouvements simples 3 fois par semaine.

Temps nécessaire pour atteindre les niveaux intermédiaires : *1 à 3 mois avant d'être prêt à passer à la suite.*

Avant d'avancer, assurez-vous que les niveaux débutants I et II vous soient confortables, voire même un peu facile.

Santé et forme physique – Niveau III, Intermédiaire

Critères de santé et de forme physique au niveau III

Lorsque vous êtes à ce niveau

1 ☐ Vous ne faites pas d'exercice ou en avez fait un peu dans le passé ; très peu d'exercice physique

2 ☐ Vous vous sentez mou au cours de la journée – vous consommez peut-être trop de caféine

3 ☐ Vous désirez perdre entre 50 et 75 livres et cela vous rend frustré et anxieux

4 ☐ Vous manquez de connaissance au sujet de la santé – vous n'appliquez pas ce que vous savez

5 ☐ Vous ne savez pas en quoi vos choix peuvent nuire à votre santé

6 ☐ Vous sentez que vous avez plus de potentiel que vous ne le montrez – vous désirez un changement

7 ☐ Vous mangez des fruits et des légumes de temps à autres – peut-être pour masquer la mauvaise nourriture

8 ☐ Vous affichez une attitude convenable, mais peut-être que vous vous sentez mal intérieurement et êtes négatif

9 ☐ Vous prenez des médicaments trop souvent pour certaines maladies

10 ☐ Vous vous sentez surmené et incapable de vous concentrer pour obtenir un bon état de santé

Ne soyez pas découragé si vous vous identifiez à ce niveau. Vous êtes en train de faire bouger les choses. Une chose que j'aimerais mettre en avant et qui a besoin d'être réaccordée : votre attitude. Comme nous l'avons vu, une attitude positive peut vous emmener loin en vous aidant à démarrer et en vous encourageant dans votre quête d'une meilleure santé et d'une meilleure forme physique. Une mauvaise attitude, c'est-à-dire négative, défaitiste, ou n'importe quelle autre humeur qui se met en travers de la route qui mène à la réalisation de vos objectifs, a besoin d'être évitée.

Ce que je veux vous expliquer ici, c'est qu'à ce niveau, vous avez besoin de vous concentrer sur vos pensées et sur votre attitude dès maintenant pour pouvoir commencer à avancer dans la bonne direction et penser que vous êtes capable de bien plus (et ce dont vous êtes capable est toujours plus que ce que vous ne pensez).

Exercice : Fréquence : 3 jours par semaine ; **Durée** : 20 minutes ; **Intensité** : faible à moyen ; **Exercices cardio suggérés** : marcher, tapis roulant, vélo fixe, natation ; **Renforcement musculaire** : utilisation des machines seulement 2 jours par semaine pendant 4 à 6 semaines, augmenter la fréquence à 3 jours par semaine ; 3 séries par groupe musculaire, répéter 12 fois l'exercice. **Résumé** : Travailler sur l'uniformité et augmenter l'exercice cardio à 4 fois par semaine, ensuite augmenter la durée jusqu'à 30 minutes. Commencer avec des poids légers sur les machines.

Temps nécessaire pour atteindre le niveau IV, intermédiaire : *1 à 3 mois*

Santé et forme physique – Niveau IV, intermédiaire

Critères de santé et de forme physique au niveau IV

Lorsque vous êtes à ce niveau

1 ☐ Quelques exercices vous sont familiers, mais vous ne faites pas beaucoup d'exercice physique

2 ☐ Vous avez un niveau d'endurance intermédiaire – êtes fatigué de temps à autres au cours de la journée

3 ☐ Vous désirez perdre entre 25 et 50 livres – cela vous inquiète souvent

4 ☐ Vous avez quelques notions sur la santé et la nutrition ; la plupart conflictuelles

5 ☐ Vous n'êtes pas conscient des raisons qui expliquent votre surpoids (les mauvais choix)

6 ☐ Vous ne vous souciez pas d'objectifs, vous vivez en suivant une routine quotidienne ou êtes toujours en route pour quelque chose

7 ☐ Vous ne mangez pas assez de fruits, de légumes et de viande pauvre en matière grasse

8 ☐ Vous avez un niveau d'énergie faible et adoptez une attitude moins que positive

9 ☐ Vous tombez malade trop souvent et souhaiteriez être en bonne santé plus souvent

10 ☐ Votre vie manque d'équilibre – Vous avez trop peu d'activité physique et trop de calories ingérées

Une grande partie de la population se trouve à ce niveau : 25 livres ou plus en trop sans avoir le niveau d'énergie et d'endurance que ces personnes pourraient avoir. Vous ne croyez peut-être pas pouvoir avoir un niveau d'énergie et d'endurance plus élevé. Pourtant, vous serez surpris. Je pense que la plupart des gens considèrent que le stress et l'âge expliquent leurs faibles niveaux d'énergie et d'endurance. Ce sont des raisons légitimes pour ne pas avoir l'énergie d'une personne de 18 ans. Toutefois, nous parlons de ce qui est possible pour vous qui êtes en bonne santé et en bonne forme physique. Par ailleurs, votre âge et votre niveau de stress n'est pas un problème. Si vous vous identifiez le plus à ce niveau, votre santé aura plus de chance d'être compromise.

Exercice : Fréquence : 3 jours par semaine ; **Durée** : 30 minutes ; **Intensité** : faible à moyen ; **Exercices cardio suggérés** : (1) marcher, machine elliptique, tapis roulant, vélo fixe, nager ;(2) danser, faire de la boxe, step-aérobique ; **Renforcement musculaire** : Utilisation des machines seulement 2 jours par semaine pendant 3 semaines, augmenter la fréquence à 3 jours par semaine ; 3 séries d'exercice par groupe musculaire. **Résumé** : Travailler régulièrement et augmenter la fréquence à 6 jours par semaine (3 pour chaque)

Temps nécessaire pour atteindre le niveau V : *1 à 3 mois*

Santé et forme physique – Niveau 5, intermédiaire

Critères de santé et de forme physique au niveau V

Lorsque vous êtes à ce niveau

1 ☐ Vous faites souvent de l'exercice, mais parfois, n'en faites pas pendant quelques jours

2 ☐ Vous avez un tonus musculaire et une endurance convenable, cela seulement lorsque vous faites de l'exercice régulièrement

3 ☐ Vous désirez perdre jusqu'à 25 livres. Cela ne vous tracasse pas trop. Vous espérez y arriver

4 ☐ Vous avez une bonne connaissance sur la santé et sur la remise en forme ; cependant, vous n'êtes pas aussi bon lorsqu'il s'agit de l'appliquer

5 ☐ Vous avez conscience de ce que vous mangez, mais ne vous en souciez pas totalement

6 ☐ Vous avez une routine quotidienne faite d'habitudes, mais n'avez aucun programme. Vous programmez les choses seulement quand vous en avez besoin

7 ☐ Vous faites suffisamment de choix sains pour pouvoir éviter de prendre quelques livres en trop

8 ☐ Vous avez une bonne attitude, pourtant vous êtes bien en dessous de vos capacités

9 ☐ Vous avez souvent des problèmes de santé à cause de votre régime incomplet et de votre insuffisance d'exercice physique

10 ☐ Vous menez une vie bien équilibrée mais pensez être capable d'avoir une meilleure santé et une meilleure forme physique

Vous êtes peut-être en bonne condition physique, mais vous voulez tout de même perdre environ 5 livres. Vous devriez déterminer à ce stade s'il vous faut fournir plus d'efforts pour passer au niveau suivant. Ou sinon, vous pourriez avoir besoin de perdre entre 20 et 25 livres. Ce poids pourrait venir réduire votre énergie et votre productivité, voire même affecter négativement votre santé. Le plus grand problème que vous pourriez avoir à ce niveau est de trouver le temps nécessaire pour faire l'exercice physique dont vous avez besoin. Vous ne consommez peut-être pas trop de calories, mais vous consommez les mauvaises calories, comme par exemple une boisson gourmet à la caféine de temps en temps, un déjeuner sain, puis peut-être un après-midi à manger des confiseries et le soir un dîner sain.

Exercice: **Fréquence** : 3 jours par semaine ; **Durée** : 40 minutes ; **Intensité** : moyenne à élevée ; **Exercices cardio suggérés** : marcher/ course à pied, marches d'escalier, machine elliptique, tapis roulant, boxe, cours aérobique, ou cardiovélo ; **Renforcement musculaire** : 3 jours par semaine, 3 exercices par groupe musculaire. **Résumé** : Travailler jusqu'à 40 minutes pour les exercices cardio et 3 jours par semaine pour les exercices de renforcement musculaire

Temps nécessaire pour atteindre le niveau VI, avancé :
3 mois de plus

Santé et forme physique, niveau VI, avancé

Critères de santé et de forme physique au niveau VI

Lorsque vous êtes à ce niveau

1 ☐ Vous vous impliquez dans certains exercices physiques presque tous les jours (6 à 7 jours)

2 ☐ Vous êtes très préparé et possédez un niveau d'endurance élevé

3 ☐ Vous n'avez pas besoin de perdre du poids. Vous avez ou vous êtes proche d'avoir une silhouette hors du commun

4 ☐ Vous possédez une connaissance adéquate sur la nutrition et les suppléments alimentaires et appliquez cette connaissance

5 ☐ Vous avez un régime alimentaire excellent où son contenu en gras/féculent/protéine est exemplaire

6 ☐ Vous avez un programme d'exercice physique, planifié pour tous les jours

7 ☐ Vous mettez l'accent le plus souvent sur les choix sains

8 ☐ Vous avez une attitude positive et êtes l'exemple même d'une personne en bonne santé et en bonne forme physique

9 ☐ Vous ne souffrez pas souvent de problèmes de santé, vous êtes rarement enrhumé ou grippé

10 ☐ Vous avez un très bon engagement envers la santé. Vos vacances sont l'occasion pour bouger

À ce niveau, vous avez un degré d'implication pour l'exercice et le régime alimentaire très élevé. La différence entre ce niveau et le niveau le plus élevé est que votre mode de vie est un petit plus équilibré. Une grande priorité est mise sur la santé et le forme physique, néanmoins, *cela ne fait pas tout dans la vie.*

Exercice : **Fréquence** : 3 jours par semaine ; **Durée** : 50 minutes ; **Intensité** : moyen élevé à élevé ; **Exercices cardio suggérés** : course à pied, course cyclique, natation, machine elliptique, tapis roulant, marches d'escalier, boxe, soulever des poids, cardiovélo, et autres exercices cardio similaires ; **Renforcement des muscles** : 4 jours par semaine ; divisez les muscles en deux groupes, les jambes, le dos et les biceps 1 jour, puis la poitrine, les épaules et les triceps un autre jour ; abdominaux tous les jours. **Résumé** : à vous de déterminer ce que vous voulez faire à ce stade !

Temps nécessaire pour atteindre le niveau VII, avancé : *au moins 6 mois après avoir passé le niveau V. Vous pouvez rester au niveau VI en pleine santé pour le restant de votre vie. Le niveau VII est intense et réservé seulement aux personnes qui prennent vraiment au sérieux la forme physique et l'apparence.*

Santé et forme physique – Niveau VII, avancé

Durée d'exercice physique par jour : 1 heure et demie par jour ou plus

Critères de santé et de forme physique au niveau VII

Lorsque vous êtes à ce niveau

1 ☐ Vous pratiquez un sport physique presque tous les jours (min. 6 jours)

2 ☐ Vous êtes préparé pour le niveau compétitif, vous possédez une grande énergie et une grande endurance

3 ☐ Vous ne vous inquiétez pas de votre poids. Votre seule inquiétude est de rester en forme physiquement ou d'améliorer votre forme physique

4 ☐ Vous avez une grande connaissance sur la nutrition et les suppléments alimentaires

5 ☐ Vous connaissez vos dépenses et vos apports caloriques quotidiens

6 ☐ Vous avez un programme d'exercice physique exigeant. Vous vivez grâce à un emploi du temps quotidien

7 ☐ Vous choisissez des repas sains et des activités saines qui n'empiètent pas sur votre forme physique

8 ☐ Vous avez une attitude positive. Vous êtes l'exemple même du dévouement pour la forme physique

9 ☐ Vous êtes rarement malade, avez rarement des symptômes grippaux ou des rhumes ; quand c'est le cas, vous guérissez vite

10 ☐ Vous avez le plus grand engagement pour la santé. La santé est pour vous un travail sans vacances

Vous êtes au plus grand niveau de la santé et de la forme physique. C'est un niveau qui n'est pas facile à atteindre et à *maintenir*. Pour la plupart des gens, ce niveau peut être atteignable en poursuivant certains objectifs de remise en forme qui nécessitent une préparation constante, à l'exemple de sports compétitifs ou d'activités de plein air vigoureux, tels que l'escalade sur les rochers, les marathons et ainsi de suite.

Exercices : activités de haute endurance : 1 heure d'exercice cardio (course à pied, course cycliste, natation, machine elliptique, marches d'escalier, tapis roulant ou similaire) et 1 heure à soulever des poids. Divisez habituellement les groupes musculaires et étalez-les sur différents jours, 3 ou plus par semaine. D'autres activités physiques sont à ajouter, pendant au moins 1 heure, voire plus.

Recettes **rapides et saines**

Carburant du matin

Je ne pourrais jamais vous encourager assez de trouver quelques repas de base qui soient nutritifs, appropriés à votre style de vie et fournissent à votre organisme le carburant dont il a besoin et, bien sûr, d'en manger le plus souvent possible. Penser toute la journée à ce que vous allez manger, quand manger, et comment le faire aura tendance à donner trop d'importance à l'alimentation dans votre vie. La nourriture est un carburant, rien de plus, rien de moins.

Crêpes de blé entier

(Pour 4 personnes, soit environ 8 crêpes)

- 1 tasse plus 2 c. à table de farine de blé entier
- 1 c. à table de sucre brun
- 1½ c. à thé de levure
- 1 pincée de sel
- 2 c. à table de compote de pommes
- 1 tasse + 2 c. à table d'eau

Tamiser les ingrédients secs. Ajouter la compote de pommes et l'eau puis mélanger jusqu'à ce que le batteur goutte, mais la pâte n'est pas liquide. Chauffer une poêle et la vaporiser avec un aérosol de cuisson à faible teneur en matières grasses (Pam). Verser environ ¼ de tasse de pâte dans la poêle et laisser cuire jusqu'à ce que des petites bulles se forment au centre. Retourner. Garder les crêpes cuites au chaud au four préchauffé et couvrir avec une serviette en papier pour garder l'humidité. Servir avec un substitut de beurre à faible teneur en gras et du sirop d'érable à faible teneur en sucre. **Variante** : Pour une gâterie spéciale, faire la pâte avec ½ tasse de graines de tournesol ou ½ tasse de bleuets.

Crêpes au citron

(Pour 4 personnes, 8 crêpes – 2 par portion)

- 1 œuf ou substitut d'œufs
- ½ tasse de yogourt au citron sans matière grasse
- ½ tasse de lait écrémé
- 2 c. à table d'huile
- 1 c. à table de sucre
- ½ c. à thé de noix de muscade
- 1 tasse de farine tout usage
- 1 c. à thé de levure
- ½ c. à thé de bicarbonate de soude

Dans un bol, battre l'œuf et mélanger le yogourt, le lait et l'huile. Incorporer le sucre et la muscade. Dans un autre bol, mélanger la farine, la levure et le bicarbonate de soude. Ajouter la farine au liquide et mélanger. La pâte sera épaisse. Graisser une plaque de cuisson et verser ¼ de tasse de pâte à crêpe. Faire cuire les crêpes jusqu'à ce que des bulles se forment, puis les tourner. Servir avec du sirop d'érable chaud.

Crêpes allemandes aux pommes et aux pommes de terre

(Pour 4 personnes)

- 1¼ tasses de pommes pelées, hachées finement
- 1 tasse de pommes de terre pelées, râpées
- ½ tasse de compote de pommes
- ½ tasse de farine tout usage
- 2 blancs d'œufs
- 1 c. à thé de sel

Préchauffer le four à 475° F. Vaporiser une plaque à biscuits d'aérosol de cuisson antiadhésif.

Dans un bol moyen, mélanger tous les ingrédients. Vaporiser avec un aérosol de cuisson antiadhésif une grande poêle anti-adhésive et chauffer à feu moyen jusqu'à ce qu'elle soit chaude. Verser une c. à table bien pleine de pâte dans le poêle à 2 pouces d'intervalle des bords. Cuire 2 à 3 minutes de chaque côté ou jusqu'à ce qu'elles soient légèrement dorées. Placer les crêpes sur la plaque à biscuits préparée. Cuire 10 à 15 minutes ou jusqu'à ce que ce soit croustillant. Servir avec de la compote de pommes ou d'autres tranches de pommes.

Crêpes de blé et de lin

(Pour 8 personnes, 8 crêpes de grande taille)

- ⅓ tasse de graines de lin, finement broyé
- 1 tasse de farine de blé entier
- 1 tasse de farine de riz brun
- ⅓ tasse de germe de blé grillé
- ⅓ tasse de lait en poudre
- 1½ tasses d'eau
- 1 c. à table de sucre d'érable ou de cassonade
- 2½ c. à thé de levure
- ½ c. à thé de sel

Dans un grand bol, fouetter ensemble les graines de lin moulues, la farine de blé entier, la farine de riz brun, les germes de blé, le lait en poudre, l'eau, le sucre, la levure et le sel. Réfrigérer jusqu'au moment de servir. Graisser légèrement une plaque et verser ¼ tasse de pâte. Cuire les crêpes jusqu'à ce que des bulles se forment, les tourner, cuire à feu doux jusqu'à ce qu'elles soient prêtes. Servir avec du sirop d'érable allégé en sucre. **Variante** : Mettre des tranches de bananes sur le dessus après que la pâte à crêpe ait été versée dans la poêle.

Soufflé aux épinards

(Pour 4 personnes)

- 1 gros œuf
- ⅓ tasse de lait à faible teneur en matières grasses
- ⅓ tasse de parmesan râpé
- 1 c. à thé d'ail écrasé
- Sel et poivre au goût
- Deux paquets de 10 onces de feuilles d'épinards surgelés, décongelés

Préchauffer le four à 350° F. Dans un bol moyen, battre ensemble l'œuf, le lait, le fromage, l'ail, le sel et le poivre. Incorporer les épinards. Placer dans un petit plat allant au four. Cuire au four pendant 20 minutes, ou jusqu'à ce que ce soit légèrement dur.

Crêpes à la citrouille

(Pour 4 personnes)

- 1 gros œuf
- ½ tasse de purée de citrouille
- 1 c. à table de beurre, ramolli
- ½ c. à thé d'extrait de vanille
- 2 c. à table de crème sure
- ¾ tasse de farine
- ⅓ tasse de graines de lin, finement broyées
- ⅓ tasse de poudre de protéine de lactosérum
- 2 sachets Splenda
- ½ c. à thé de cannelle
- ¼ c. à thé de gingembre
- ¼ c. à thé de clou de girofle
- ¼ c. à thé de piment de la Jamaïque
- ¼ c. à thé de levure
- ¼ c. à thé de bicarbonate de soude

Dans un bol moyen, battre légèrement les œufs. Incorporer la citrouille, le beurre, la vanille et la crème sure. Dans un autre bol, tamiser ensemble tous les ingrédients secs. Mélanger les ingrédients secs et humides. Bien mélanger. Sur une poêle légèrement huilée, verser environ ⅓ tasse de pâte à crêpe pour former chaque crêpe. Cuire.

Blancs d'œufs brouillés aux épinards

(Pour 1 personne)

- 2 ⅔ tasses de produit de blancs d'œufs ou 5 blancs d'œufs moyens, séparés des jaunes
- ½ tasse d'épinards hachés
- 1 c. à table de pignons de pin non salés
- ¾ tasse de salsa sans sucre ajouté
- 2 ½ grammes de granules PGX^MD sans saveur (½ cuillère)

Instructions

1. Badigeonner une petite poêle avec un spray d'huile d'olive de cuisson. Chauffer à feu moyen vif.
2. Ajouter les blancs d'œufs, les épinards et les graines de tournesol. Cuire, en remuant, au degré de cuisson désiré.
3. Dans un petit bol, mélanger la salsa et les granules PGX^MD. Laisser reposer pendant 1 minute pour épaissir.
4. Retirer les œufs et les placer dans une assiette. Couvrir avec du Guacamole Peppy PGX^MD.

Oeufs mexicains faciles

(Pour 1 personne)

- 3 blancs d'œufs
- 1 jaune d'œuf
- 1 c. à table de salsa (Paul Newman – aide à une bonne cause)
- piments jalapeños coupés finement en dés, au goût

Mélanger tous les ingrédients dans un bol. Verser dans une poêle pulvérisée au préalable de Pam et faire chauffer à feu moyen-doux. Cuire doucement jusqu'à ce que fait à votre goût. **Variante** : Saupoudrer un peu de fromage râpé jalapeño Jack au goût.

Aubergines Benoît

(Pour 4 personnes)

- ½ tasse de feuilles de basilic frais
- 1 c. à thé d'ail émincé
- 2 c. à table de pignes
- Sel et poivre au goût
- ½ tasse d'huile d'olive
- ¼ tasse de parmesan râpé
- 1 c. à table d'huile d'olive pour le brossage
- Quatre tranches de tomate à ½ pouce d'épaisseur
- Quatre tranches d'aubergine à ½ pouce d'épaisseur
- 2 muffins anglais, coupés en deux
- 4 œufs

Dans un robot culinaire, mélanger le basilic, l'ail, les pignes, le sel et le poivre. Bien mélanger. Ajouter ¼ tasse d'huile et la purée. Ajouter le reste de l'huile et le fromage et mélanger jusqu'à ce que la consistance soit homogène. Brosser la tomate et les tranches d'aubergine d'huile et faire cuire dans un four préchauffé à 375° F pendant 5 minutes, en retournant une fois. Badigeonner légèrement les muffins au pistou (mélange de basilic) et griller sous le gril. Pocher les oeufs.

Pour le montage, mettre un muffin sur une plaque et empiler la tomate et les aubergines sur chaque muffin. Placer délicatement un œuf sur le dessus et arroser légèrement de pesto.

La tarte Popeye

(Pour 4 personnes)

- 1 paquet (de 10 onces) d'épinards hachés surgelés, décongelés et bien égouttés
- ½ tasse de fromage suisse râpé à faible teneur en sodium, environ 2 oz
- ¼ tasse d'oignon haché
- ½ tasse de crème de riz de céréales, non cuits
- 1 ½ c. à thé de levure
- 1 ½ tasse de lait sans matière grasse
- ¾ tasse d'œufs Beaters
- 2 c. à table de margarine ou de beurre fondu

Mélanger les épinards, le fromage et les oignons dans le fond d'un plat à tarte de 9 pouces graissé et mettre de côté. Mélanger les céréales et la levure dans un bol moyen. Incorporer le lait, le produit aux œufs et la margarine. Verser sur le mélange aux épinards. Cuire au four à 400° F pendant 30 minutes ou jusqu'à ce que la tarte soit gonflée et dorée. Couper en pointes pour servir, garnir comme désiré.

Crêpes

(Pour 5 personnes)

- 1 tasse de lait écrémé
- 1 gros œuf + 1 blanc d'œuf
- ¾ tasse de farine de blé entier
- 1 c. à table de sucre (facultatif)

Dans un robot culinaire ou au mélangeur, mélanger le lait, les œufs et le blanc d'œufs jusqu'à ce que bien mélangé, mais s'arrêter lorsque de la mousse se crée. Ajouter la farine, le sucre (si désiré), et les épices que vous voulez essayer et battre jusqu'à ce que tout soit mélangé. La pâte doit être assez mince. Ajouter plus de lait si nécessaire.

Chauffer une poêle légèrement graissée ou une crêpière à feu moyen. Lorsque vous versez une goutte d'eau sur la poêle et qu'elle danse à la surface, c'est que la poêle est prête. Pour chaque crêpe, utiliser 3 c. à table de pâte. Immédiatement après, agiter la poêle doucement pour répartir la pâte et créer une couche très mince. Faire cuire les crêpes jusqu'à ce que la surface semble sèche, environ 1 minute. Empiler les crêpes cuites sur une plaque avec du papier ciré entre chacune pour éviter qu'elles ne collent. Garnissez les crêpes légèrement avec votre accompagnement favori – J'aime la compote de pommes ou la marmelade d'orange. Rouler et savourer.

Blancs d'œufs brouillés à l'oignon et à la tomate

(Pour 1 personne)

- ½ tasse d'oignons verts, tranchés
- 4 petites tomates cerises
- 3 blancs d'œufs
- Une pincée de basilic frais, haché
- Une pincée de persil frais, haché

Mettre l'oignon émincé dans une poêle huilée. Cuire a feu moyen jusqu'à ce qu'il commence à changer de couleur, environ 4 minutes. Pendant ce temps, découper et trancher les tomates, jeter le jus et les ajouter à la poêle avec les oignons. Cuire pendant environ 2 minutes. Battre les blancs d'œufs et les verser dans la poêle. Ajouter le basilic haché et cuire en remuant constamment, avant d'être prêt. Garnir de persil.

Déjeuner « Martini »

(Pour 1 personne)

- 3 grosses fraises congelées, presque décongelées
- ½ tasse de bleuets congelés, presque décongelés
- ½ tasse de vos céréales granola favoris
- 3 onces de pudding à la vanille pauvre en matières grasses
- crème fouettée sans matière grasse pour la garniture
- 1 cerise au marasquin

Dans votre verre à martini préféré, empiler vos ingrédients d'¼ pousse d'épaisseur. Commencer avec une fraise seulement, puis une couche de bleuets, puis le granola à côté du pudding. Répéter jusqu'à ce que le verre soit plein. Garnir de crème fouettée, d'une pincée de granola, et ajouter l'unique cerise décorative.

Muffins au son de Julia

(Donne 2 à 2 ½ douzaines de muffins)

- 2 ½ tasses de farine de blé entier
- 4 c. à thé de levure à double action
- ½ tasse de germes de blé
- ½ tasse de graines de lin
- 1 c. à thé de cannelle moulue et sel
- ½ tasse de beurre
- ¼ tasse de matière grasse végétale
- ½ tasse de sucre
- ½ tasse de sucre en poudre Lite
- ½ tasse de compote de pommes
- 2 œufs + 1 blanc d'œuf
- 2 ¼ tasses de lait écrémé
- 2 ¼ tasses de flocons d'avoine entiers, non cuits
- 1 tasse de raisins secs, ½ tasse de noix, ou ½ tasse de canneberges séchées (facultatif)

Préchauffer le four à 375° F. Préparer des moules à muffins en ligne avec revêtement. Dans un petit bol, mélanger la farine, la levure, les germes de blé, les graines de lin, la cannelle et le sel et mettre de coté. Avec un batteur électrique, battre dans un bol le beurre, la matière grasse et les sucres jusqu'à ce que la crème soit légère et mousseuse. Ajouter les œufs et battre jusqu'à consistance homogène. Incorporer dans la compote de pommes. Tour à tour, battre la farine et le lait, incorporer doucement et en plusieurs fois, en battant bien après chaque addition. Incorporer les flocons d'avoine et ajouter du lait si le mélange semble trop épais. Ajouter l'un des ingrédients facultatifs. Remplir chaque moule d'un montant égal de pâte, au deux tiers environ. Cuire au four pendant 20 à 25 minutes ou jusqu'à ce que les muffins soient légèrement dorés et qu'un cure-dent inséré au centre en ressorte sec. Retirer les muffins et les placer sur une grille pour les refroidir.

Pain à la courgette

(Donne 2 pains. Chaque pain fournit 12 portions)

- 3 tasses de courgettes râpées
- 4 tasses de farine de blé entier
- 1 ¼ tasse de sucre
- ½ tasse de noix hachées
- ¼ tasse de sucre brun
- 5 c. à thé de levure
- 1 c. à table de zeste de citron râpé
- 2 c. à thé d'épices pour tarte à la citrouille
- ½ c. à thé de sel
- 1 ½ tasse de lait écrémé
- 2 gros œufs, battus
- 6 c. à table d'huile végétale
- 2 c. à thé extrait de vanille pure

Préchauffer le four à 350° F. Vaporiser deux moules à pain de 8 x 4 pouces avec le produit Pam. Sécher les courgettes sur du papier absorbant. Mélanger la farine, 1 tasse de sucre, les noix, la cassonade, la levure, le zeste de citron, les épices pour tarte à la citrouille et le sel dans un grand bol. Former un puis au centre. Mélanger le lait, les œufs, l'huile et la vanille. Incorporer dans les courgettes. Ajouter la farine en remuant jusqu'à humidification. Diviser la pâte entre les moules à pain uniformément. Parsemer le reste du sucre sur le dessus. Cuire au four pendant 1 heure ou jusqu'à ce qu'un cure-dent inséré dans le centre en ressorte propre. Laisser refroidir pendant 5 minutes et démouler. Laisser refroidir complètement sur une grille.

Carburant du midi et salades

Poitrine de poulet grillée

(Pour 2 personnes)

- ½ c. à thé de cumin
- 1 c. à table de coriandre fraîche, hachée
- ½ c. à table de jus de citron vert
- poivre, au goût
- 2 poitrines de poulet

Mélanger tous les ingrédients dans un bol. Faire mariner le poulet pendant 1 heure. Griller ou rôtir jusqu'à tendre (environ 4 minutes de chaque côté).

Salade fruitée Jicama

(Pour 5 personnes)

- 1 c. à thé de zeste d'orange
- ¼ de tasse de jus d'orange frais
- 2 c. à table de sucre brun
- ¾ c. à thé d'épices pour tarte à la citrouille
- 3 tasses de jicama pelé, coupe julienne
- 1 pamplemousse ruby rouge, pelé et coupé
- 2 oranges, pelées et tranchées en travers
- 2 kiwis, pelés et tranchés

Mélanger le zeste d'orange, le jus de fruits, le sucre et les épices dans un bol de taille moyenne et battre au fouet. Ajouter le jicama, le pamplemousse, l'orange et le kiwi en les jetant doucement. Servir avec une poitrine de poulet grillé pour un repas parfait.

Soupe aux Pois cassés-GX

- 1 lb de pois cassés verts séchés
- 3 branches de céleri avec les feuilles, hachées
- 2 gousses d'ail, hachées – ajouter à la liste d'achats
- 1 gros oignon jaune, haché
- 1 tasse de carottes, hachées
- ½ tasse de persil frais, haché
- 1 c. à table de thym séché
- 2 feuilles de laurier
- 2 c. à thé de sel de mer
- poivre noir fraîchement moulu au goût
- 1 c. à table d'huile d'olive extra vierge
- 2 c. à thé d'assaisonnement au goût fumé liquide
- 4 tasses (32 onces) de bouillon de légumes
- 5 grammes de granules PGX^MD sans saveur (1 mesure)
- 2 ½ tasses d'eau

Instructions

1. Dans un grand bol, faire tremper les pois pendant 4 heures dans suffisamment d'eau pour les couvrir de 2 pouces. Égoutter et rincer.
2. Dans une cocotte, mélanger les petits pois, le céleri, l'ail, l'oignon, les carottes, le persil, le thym, le laurier, le sel, le poivre, l'huile et de la sauce liquide au goût fumé. Ajouter le bouillon.
3. Dans un bol moyen, mélanger les granules PGX^MD dans de l'eau. Remuer pour faire épaissir. Ajouter à la cocotte. Mélanger.
4. Cuire à feu doux pendant 8 à 9 heures ou à haute température pendant 4 à 5 heures, jusqu'à ce que les petits pois soient complètement cuits et tendres.

Salade aux poires chaudes garnies de fromage bleu

(Pour 4 personnes)

- ¼ tasse d'eau
- 1 c. à table de sucre
- 1 c. à table de vinaigre de vin rouge
- ½ c. à thé de poudre de bouillon de bœuf
- 2 tasses de chou rouge râpé finement
- 1 tasse de poires pelées et hachées (les poires d'Anjou sont mes préférées)
- 2 tasses de jeunes pousses épinards
- 4 c. à thé de fromage bleu émietté

Mélanger l'eau, le sucre, le vinaigre et le bouillon dans une grande poêle à feu vif. Couvrir, réduire le feu et laisser mijoter 1 minute. Ajouter le chou à la poêle et faire sauter pendant 2 minutes. Ajouter les poires et faire sauter 2 minutes ou jusqu'à ce que les poires soient tendres mais encore croquantes, retirer du feu. Placer ¼ tasse de jeunes pousses d'épinards dans chaque assiette et répartir la poêlée de légumes dans les assiettes. Garnir avec le fromage bleu. Servir avec un morceau de poisson grillé – un repas parfait.

Tomates farcies au thon

(Pour 2 personnes)

- 2 grosses tomates
- Une boîte de conserve de 12 onces de thon humidifié
- 2 c. à table de condiments sucrés
- 1 c. à thé de poivre
- 2 blancs d'œufs durs et coupés en dés
- 2 c. à table de mayonnaise sans gras
- 2 c. à table de cheddar râpé à faible teneur en matières grasses

Couper le quart supérieur de chaque tomate et enlever la pulpe, jeter le chapeau et l'intérieur. Dans un bol moyen, mélanger le thon, les condiments, le poivre, les œufs, et la mayonnaise et verser à l'aide d'une cuillère dans les tomates. Recouvrir de cheddar. Griller jusqu'à ce que le fromage commence à faire des bulles et brunisse légèrement.

Avé César

(Pour 2 personnes)

- 2 tasses de jeunes feuilles d'épinards
- ½ tasse de riz brun à long grain cuit
- ½ tasse de petits pois cuits et de petits oignons (acheter congelé)
- 1 avocat, coupé en cubes
- 1 c. à table de vinaigre balsamique
- 2 c. à table de sauce César à faible teneur en matières grasses
- 2 poitrines de poulet grillées, tranchées (voir la recette à la page 217)
- 2 c. à thé de fromage râpé Asiago ou parmesan

Rien de plus facile. Disposer les épinards dans un bol et ajouter tous les autres ingrédients. Remuer jusqu'à ce que la sauce soit répartie de façon homogène et servir.

Sandwich aux légumes

(Pour 1 personne)

- 1 c. à table de fromage frais à la ciboulette
- 2 tranches de pain dense riche en fibres
- ¼ de concombre, tranché finement
- 2 à 3 tranches de tomate
- 1 à 2 tranches de pepperoncini
- 1 oignon rouge, tranché
- Grosse poignée de germes de soja
- 2 morceaux de courgettes finement tranchées
- 1 tranche de fromage mozzarella

Passer le fromage frais sur le pain et ajouter le reste des ingrédients. Couper en deux et servir. Un bon verre de thé à la menthe est l'accompagnement parfait pour ce super déjeuner.

Sandwich au rôti de bœuf

(Pour 1 personne)

- 2 tranches de pain copieusement riche en fibres
- 5 oz de rôti de bœuf maigre
- 1 tranche de cheddar Alpine à faible teneur en gras
- Laitue frisée rouge ou romaine
- 3 tranches de tomate
- Tranches d'oignon jaune, au goût
- 1 c. à thé de mayonnaise
- Moutarde de Dijon à l'ancienne, au goût

Faire griller légèrement deux morceaux de pain au four sous le grill, ajouter le bœuf et le fromage, faire griller légèrement jusqu'à ce que le fromage commence à fondre. Ajouter par dessus sur tous les autres ingrédients et servir selon le genre ouvert.

Salade d'été

(Pour 6 personnes)

- ¼ tasse de vinaigre de framboise
- 2 c. à table de miel
- 2 c. à thé d'huile d'olive
- ¼ tasse de confiture de framboise sans pépin
- 8 tasses de feuilles d'épinards crus
- 2 tasses de boules de cantaloup
- 1 ½ tasse de fraises coupées en deux
- 1 tasse de mûres
- ¼ tasse de noix de macadamia

Fouetter le vinaigre, le miel, l'huile, et la confiture jusqu'à ce que ce soit bien mélangé. Combiner les épinards et les fruits dans un bol et mélanger avec la vinaigrette. Saupoudrer de noix et servir. Si l'on ajoute de la poitrine de poulet grillée, cette salade n'est-elle pas le repas parfait ?

Salade Ranch

(Serves 6)

- ⅓ tasse d'oignons verts tranchés
- Un paquet de 10 oz de cheveux d'ange
- ⅓ tasse de vinaigrette genre ranch sans gras
- Mandarines dans de l'eau en boîte de 11 oz, égouttées
- 1 avocat, pelé et coupé en petits cubes

Mélanger les oignons et la salade de chou dans un grand bol. Ajouter la vinaigrette et mélanger pour bien enrober. Ajouter les mandarines et les avocats. Mélanger délicatement. Servir immédiatement.

Salade orientale au riz sauvage

(Pour 8 personnes)

- 3 tasses d'eau
- ½ tasse de riz cru sauvage
- 1 ½ tasse de riz brun à grains longs cru
- 1 ½ tasse de poivrons rouges
- 1 tasse de céleri coupé en diagonale
- 1 tasse de petits pois surgelés, décongelés
- Une boîte de 8 onces de châtaignes à l'eau, égouttées et hachées
- ½ tasse d'oignons verts tranchés
- ⅓ tasse de jus d'orange concentré décongelé
- ¼ tasse de sauce soja faible en sodium
- 1 c. à table d'huile végétale
- 1 ½ c. à thé de jus de citron
- 1 c. à table de gingembre frais râpé (prend du temps, mais tellement bon !)
- 2 gousses d'ail, hachées
- Feuilles de laitue
- 2 c. à table de noix de cajou non salées

Porter l'eau à ébullition dans une grande casserole. Ajouter le riz sauvage, couvrir et réduire le feu. Cuire pendant 10 minutes et ajouter le riz brun. Couvrir et laisser mijoter 50 minutes, ou jusqu'à tendre. Égoutter le mélange de riz et verser dans un grand bol. Ajouter les poivrons, le céleri, les pois, les châtaignes, et les oignons. Mélanger le jus d'orange avec la sauce soja, l'huile, le jus de citron, le gingembre et l'ail, verser sur le riz, et bien mélanger. Couvrir et réfrigérer pendant 2 heures. Disposer les feuilles de laitue sur les assiettes et ajouter le mélange de riz. Saupoudrer de noix de cajou avant de servir. Si vous le souhaitez, ajouter 1 tasse de lentilles cuites pour plus de protéines. Ce sera alors un plat sans accompagnement.

Taboulé

(Pour 5 personnes)

- 1 ½ tasse de boulgour ou blé concassé non cuit
- 1 ½ tasse d'eau bouillante
- 3 c. à thé d'huile d'olive
- 1 ½ tasse oignons coupés en dés
- Bouquet de coriandre
- 5 tiges d'oignon vert
- Bouquet de persil
- 1 concombre, pelé, épépiné et coupé en dés
- ¼ tasse d'amandes effilées, grillées
- 5 c. à table de jus de citron
- 1 c. à table de cumin moulu
- 1 ½ c. à thé d'origan séché
- ½ c. à thé de sel
- ⅛ c. à thé de piment de la Jamaïque

Mettre le boulgour dans de l'eau bouillante, bien mélanger, couvrir et laisser reposer pendant 30 minutes ou jusqu'à ce que le liquide soit absorbé. Faire chauffer 1 c. à thé d'huile dans une petite poêle, ajouter l'oignon et faire revenir jusqu'à ce qu'il soit doré. Ajouter l'oignon au boulgour. Dans un robot culinaire, hacher finement la coriandre, l'oignon vert et le persil. Mettre le boulgour dans un bol, ajouter le mélange haché et le concombre, et incorporer les amandes, le jus de citron, le cumin, le reste de l'huile d'olive, l'origan, le sel et le piment de la Jamaïque tout en mélangeant. Réfrigérer jusqu'à ce que vous le serviez.

Semoule aux haricots noirs

(Pour 2 personnes)

- 1 grosse orange
- ⅛ c. à thé de sel
- ⅔ tasse de semoule non cuite
- 1 tasse de haricots noirs en boîte, rincés et égouttés
- ½ tasse de poivrons rouges
- ½ tasse d'oignons verts hachés
- 2 c. à table de persil finement haché
- 1 c. à table de vinaigre de riz assaisonné
- 1 ½ c. à thé d'huile végétale
- ¼ c. à thé de cumin

Râper assez le zeste d'orange pour remplir ¼ c. à thé, et mettre de côté. Presser le jus d'orange au dessus d'un bol, réserver ¼ tasse de jus et mettre de côté. Ajouter de l'eau pour le reste du jus afin d'obtenir 1 tasse et ajouter le sel. Amener le mélange à ébullition dans une casserole moyenne en y incorporant progressivement la semoule. Retirer du feu. Couvrir et laisser reposer pendant 5 minutes. Remuer et laisser refroidir 5 minutes de plus. Incorporer le zeste, les haricots, les poivrons, les oignons et le persil. Mélanger le jus d'orange restant avec le vinaigre, l'huile et le cumin. Verser sur la semoule et bien mélanger. Conserver dans un contenant hermétique au réfrigérateur. Réfrigérer jusqu'au moment de servir.

Salade de thon fantaisie

(Pour 6 personnes)

- 6 petites pommes de terre rouges, lavées et nettoyées (non pelées) et avec la partie haute et la partie basse tranchées
- ¾ livre d'haricots verts frais garnis
- 3 œufs durs
- 4 tasses de laitue romaine déchiquetée
- 4 tasses de cresson garni (environ 1 botte)
- Deux boîtes de thon à l'eau de 12 oz
- 3 tomates, coupées en 6 quartiers
- 1 poivron vert, coupé en lanières
- ½ tasse d'olives niçoises ou Kalamata
- 2 c. à thé d'ail émincé
- 2 c. à table de câpres
- vinaigrette balsamique

Faire cuire les pommes de terre à la vapeur, en couvrant, pendant 3 minutes. Ajouter les haricots verts et couvrir pour cuire à la vapeur, pendant environ 5 minutes ou jusqu'à devenir tendres, mais encore croquants. Refroidir. Jeter 2 des jaunes d'œuf, en réserver 1, et couper en quatre les blancs d'œuf dans le sens de la longueur.

Sur un plateau, combiner la laitue et le cresson. Disposer le thon écrasé avec une fourchette au préalable, puis les pommes de terre, les haricots verts, la tomate, les blancs d'œuf, le poivron sur les légumes verts. Par-dessus, mettre le jaune émietté, les olives, l'ail et les câpres. Arroser de vinaigrette.

Variante : Vous pouvez utiliser du thon frais. L'arroser avec du jus de citron et du poivre noir, faire mariner pendant 15 minutes et le mettre sur le grill ou dans une rôtissoire. Couper le thon en morceaux pour servir.

Soupe aux cinq haricots onctueuse

(Pour 8 personnes)

- ½ tasse de haricots blancs
- ½ tasse de petits haricots
- ½ tasse de haricots Pinto
- 3 quarts de bouillon de poulet à faible teneur en gras ou sans gras
- 1 oignon moyen coupé en dés
- 4 tiges de céleri, coupées en dés
- 2 carottes coupées en dés
- ½ tasse de lentilles
- ½ tasse de pois cassés
- 2 c. à table de marjolaine, frais ou secs
- 2 c. à thé de sel kasher
- ½ c. à thé de poivre noir

Faire tremper les haricots blancs, petits et Pinto toute la nuit dans de l'eau. Égoutter complètement les haricots. Dans une grande marmite, porter le bouillon de poulet à ébullition. Réduire le feu pour laisser mijoter. Ajouter les oignons, le céleri et les carottes. Cuire pendant 45 minutes, ou jusqu'à ce que les haricots soient à trois quarts cuits. Ajouter les lentilles et les pois cassés et laisser cuire 30 minutes de plus, ou jusqu'à ce que ce soit tendre. Mettre la moitié du mélange des haricots et de la purée dans un mélangeur. Remettez-le dans la bouilloire et ajouter les assaisonnements.

Salade de poulet Waldorf

(Pour 2 personnes)

- 4 c. à table de yogourt nature sans matière grasse
- 6 c. à table de mayonnaise sans matière grasse
- 2 c. à table de raisins secs
- 2 c. à table de canneberges séchées
- 1/2 tasse de céleri en dés
- 2 c. à table de noix hachées
- 2 poitrines de poulet, grillées et coupées en dés
- 6 tasses de pommes Red Delicious, pelées, épépinées et coupées en dés
- 4 fraises
- 2 brins de menthe fraîche

Dans un bol, mélanger le yogourt, la mayonnaise, les raisins, les canneberges, le céleri et les noix. Mélanger le poulet et les pommes ensemble. Verser la vinaigrette sur le mélange de pommes-poulet et mélanger délicatement. Placer le mélange sur 2 assiettes et garnir de fraises et de menthe.

Carburant pour la soirée

Filet de bœuf grillé et semoule

(Pour 2 personnes)

- 4 tasses de semoule cuite (préparée avec du bouillon de poulet à faible teneur en matières grasses)
- 1 tasse de tomates en dés
- 1 tasse de concombres épépinés, pelés et coupés en dés
- ½ tasse de sauce à la menthe tangerine sans matières grasses
- ¼ tasse de menthe fraîche hachée
- ¼ tasse de persil frais, haché
- 2 c. à table de jus de citron
- ½ c. à table d'ail haché
- 1 c. à thé de cumin
- Sel et poivre au goût
- 5 onces de filet de bœuf, coupé en 2 morceaux

Dans un bol, mélanger la semoule, les tomates, les concombres, la sauce à la menthe tangerine, la menthe, le persil, le jus de citron, l'ail, le cumin, le sel, et le poivre. Faire griller le filet de bœuf à la cuisson désirée et servir avec la semoule.

Filet de porc avec des pâtes Ziti

(Pour 2 personnes)

- 8 oz de filet de porc
- ¼ tasse de sauce italienne sans matière grasse
- ¾ tasse de mayonnaise sans matière grasse
- ½ tasse de crème sure sans matière grasse
- 2 c. à table d'aneth frais, haché
- ½ tasse d'oignons verts hachés
- ¼ tasse de poivrons rouges rôtis
- 2 c. à table de moutarde de Dijon
- 2 c. à table de condiments sucrés
- 10 onces de pâtes Ziti cuites

Faire mariner la viande de porc dans la sauce pendant 30 minutes. Combiner la mayonnaise, la crème sure, l'aneth, les oignons verts, les piments, la moutarde, les condiments et mélanger doucement aux pâtes. Couper le porc en médaillons et griller jusqu'à ce que ce soit cuit, au goût. Servir avec les pâtes Ziti cuites. Servir bien chaud.

Steaks de flétan genre Cabo San Lucas

(Pour 2 personnes)

- Deux darnes de flétan de 8 onces
- 2 c. à table de vinaigrette à la coriandre et au citron vert sans matière grasse
- 2 portions de pâtes de cheveux d'ange (celles au blé entier sont recommandées)
- 6 tranches de tomates
- Le jus de ½ grosse orange
- Le jus de 1 citron
- Le jus de 1 citron vert
- ¼ tasse de vin blanc
- 4 c. à thé de coriandre hachée
- 2 brins de coriandre

Faire mariner le flétan dans la vinaigrette à la coriandre et au citron vert sans matière grasse pendant 15 minutes. Faire cuire les pâtes selon les instructions, égoutter, mais ne pas les rincer. Faire griller le flétan pendant 3 minutes de chaque côté. Ne pas trop faire cuire. Faire griller les tranches de tomate. Chauffer les pâtes, dans le jus d'orange, le jus de citron vert et le jus de citron avec le vin blanc et la coriandre hachée jusqu'à ce que tout soit chaud. Mettre les pâtes dans une assiette avec de la tomate grillée et déposer par-dessus le flétan. Garnir de brins de coriandre.

Hoplostète orange en croûte de noix de cajou

(Pour 2 personnes)

- 2 c. à table de noix de cajou
- 1 c. à table de farine
- 2 c. à table de chapelure italienne
- Deux pièces de 7 onces d'hoplostète orange
- 2 c. à table de chacun des ingrédients suivants : basilic frais, origan et persil
- Paprika au goût

Préchauffer le four à 350° F. Dans un plat peu profond, mélanger la farine, les noix de cajou, la chapelure de pain. Incorporer les herbes et le paprika, et bien mélanger. Enrober complètement les poissons avec le mélange. Placer dans un plat pour four, pulvériser avec du Pam. Saupoudrer légèrement de paprika. Cuire les poissons pendant 12 à 15 minutes ou jusqu'à ce qu'ils soient faits. Servir avec une salade composée d'épinards, de mandarines et d'amandes effilées et mélanger avec des graines de pavot pour un repas parfait.

Jambon avec des pâtes penne et des pois mange-tout

(Pour 2 personnes)

- ¾ tasse d'oignons rouges coupés en julienne
- ¾ tasse d'oignons jaunes coupés en julienne
- 2 c. à table d'ail haché
- 1 livre de pois mange-tout, en julienne
- 1 poivron rouge, coupé en julienne
- ½ c. à table d'huile d'olive
- 6 onces de jambon de dinde avec 5 % de matières grasses, coupé en julienne
- 1 tasse bouillon de poulet sans ou à faible teneur en matières grasses
- 1 c. à table de thym frais haché
- 2 c. à table de basilic frais haché
- 6 onces de pâtes Penne cuites
- 2 c. à table de fromage râpé Romano
- Persil haché pour la garniture

Faire revenir les oignons, l'ail, les pois mange-tout, et les poivrons dans de l'huile d'olive. Ajouter le jambon de dinde et faire chauffer. Ajouter le bouillon de volaille, le thym et le basilic. Porter à ébullition et ajouter les penne. Mélanger délicatement, cuire complètement, et retirer du feu. Servir avec du fromage râpé Romano et garnir de persil haché.

Chou farci avec du PGX^{MD} mijoté

(Pour 4 personnes)

- 12 à 14 feuilles de gros chou vert
- 1 ¼ lb de poitrine de dinde
- 5 grammes de granules PGX^{MD} sans saveur (1 mesure)
- 2 gros œufs entiers, plus 1 blanc d'œuf
- 1 oignon blanc, haché
- 2 c. à table d'ail haché
- 1 pomme Fuji (ou autre), hachée
- 1 tasse de riz brun à grain long cuit (½ tasse de riz sec)
- 1 c. à table d'aneth
- 2 c. à table de persil frais
- poivre (au goût)

Sauce de cuisson :

- 1 c. à table d'huile d'olive
- 2 petits oignons blancs, émincés
- 1 boîte de 28 oz de tomates concassées
- 3 c. à table de jus de citron frais
- 1 c. à table de paprika
- 1 c. à thé de sauce Worcestershire

Instructions :

1 Remplir une grande casserole avec 3 pouces d'eau. Porter à ébullition. Placer les feuilles de chou dans l'eau bouillante pendant 3 minutes. Les égoutter et les rafraîchir sous l'eau froide pour arrêter la cuisson. Faire sécher sur du papier absorbant et réserver.

2 Dans un grand bol, mélanger la poitrine de dinde crue, les œufs, l'oignon, l'ail, la pomme, le riz cuit, l'aneth, le persil et le poivre. Bien mélanger.

3 Placer les feuilles de chou sur une surface de travail. Répartir la farce à parts égales entre les feuilles de chou, mettre environ ¼ tasse du mélange de dinde-riz au fond de chaque feuille de

chou et rouler, plier dans le fond puis sur les côtés pour enfermer la farce. Laisser de côté.

4 Dans une grande poêle antiadhésive, chauffer l'huile à feu moyen. Ajouter l'oignon et l'ail ; faire sauter jusqu'à ce que les oignons soient mous, environ 4 minutes.

Incorporer les ingrédients de la sauce restante et faire cuire, à découvert, pendant encore 5 minutes. Remuer de temps en temps.

5 Placer la moitié de la sauce dans le fond d'une mijoteuse ou d'un fait-tout. Disposer les feuilles de chou farci, sur la partie pliée, sur le dessus de la sauce, faire plusieurs couches. Verser le reste de la sauce sur les rouleaux de choux farcis. Ne pas remuer.

6 Couvrir et cuire à feu DOUX pendant 7 à 9 heures ou à feu VIF pendant 3½ à 4 heures.

Pâtes au PGX[MD]

(Pour 6 personnes)

- 1 lb de pâtes au blé entier
- 1 lb de poitrines de poulet désossées
- 3 branches de céleri, hachées
- 1 poivron rouge, haché
- 2 ¼ oz d'olives noir, tranchées
- 4 onces de fromage parmesan frais, râpé
- 1 à 2 c. de granules PGX[MD] sans saveur
- 3 oignons verts finement tranchés
- 16 onces de sauce salade italienne Lite/allégée en calories

Faire cuire le poulet dans de l'eau et couvrir ce dernier avec 1 feuille de laurier. Porter à ébullition et cuire pendant 30 min. ou jusqu'à ce que le jus soit clair. Laisser refroidir. Sinon, vous pouvez rôtir le poulet, si vous préférez, et le couper en petits morceaux. Égoutter les pâtes. Ajouter tous les ingrédients et bien mélanger. Servir tiède ou froid.

Saumon au Miso

(Pour 4 personnes)

- 1 c. à table de pâte de miso rouge
- 1 c. à thé d'huile d'arachide
- 2 c. à soupe de gingembre fraîchement râpé ou finement haché
- 2 c. à table de sauce soja
- 1 c. à table de vinaigre de vin de riz
- 1 c. à table de miel
- Quatre filets de 6 onces de saumon, sans peau
- 2 têtes de bok choy, coupées en deux sur la longueur
- 8 oz de champignons shiitake, coupés en deux
- 6 échalotes, pelées et coupées en tronçons de 1 pouce
- poivre fraîchement moulu

Dans un petit bol, battre ensemble le miso, l'huile, le gingembre et 1 c. à table de sauce de soja. Ajouter le vinaigre et le miel et bien mélanger. Déposer les filets de saumon dans un plat peu profond et verser le mélange miso sur ces derniers jusqu'à ce qu'ils soient bien enrobés. Couvrir d'un film plastique et réfrigérer pendant 1 heure. Griller le saumon jusqu'à ce qu'il soit cuit, ne pas trop cuire. Cuire à la vapeur le bok choy, les champignons et les oignons verts pendant 3 à 4 minutes. Retirer du feu et assaisonner de poivre. Servir le saumon garni avec les légumes et arroser avec la sauce soja restante.

Poulet à l'italienne avec des pois chiches

(Serves 4)

- 1 livre de poitrine de poulet
- ¼ c. à thé de sel
- ¼ c. à thé de poivre
- 1 c. à table d'huile d'olive
- 1 ⅓ tasse de tranches d'oignon blanc
- 1 tasse de lanières de poivrons verts
- 1 c. à table d'ail haché
- 1 boîte de 5 ½ oz de pois chiches égouttés
- 1 boîte de 4 ½ oz de tomates coupées en dés, égouttées
- 1 c. à table de basilic haché
- 1 c. à table d'origan

Parsemer le poulet de sel et de poivre. Chauffer l'huile dans une grande poêle antiadhésive à feu moyen-vif. Ajouter le poulet, et faire revenir pendant 2 minutes de chaque côté ou jusqu'à ce qu'il brunisse. Ajouter l'oignon et le poivron et faire sauter pendant 4 minutes. Réduire le feu à moyen. Ajouter l'ail, les pois chiches, les tomates, le basilic et l'origan et cuire pendant 8 minutes ou jusqu'à bien chaud.

Légumes d'été au poulet et pâtes

(Pour 4 personnes)

- Jus de ½ citron
- 1 c. à table d'huile d'olive
- 1 c. à thé de miel
- 2 échalotes, hachées finement
- 2 c. à table d'estragon haché grossièrement
- 10 pointes d'asperges fraîches
- 1 tasse de petites courgettes coupées en tranches épaisses
- ¾ tasse de petits pois surgelés et de petits oignons
- 1 lb et 2 oz de fettucine fraîches
- 12 tomates cerise, coupées en deux
- poivre fraîchement moulu
- 4 poitrines de poulet grillées (les mariner dans de la sauce italienne avant de les faire griller)
- 4 c. à table de fromage Romano frais

Mélanger le jus de citron, l'huile d'olive, le miel, les oignons verts et l'estragon ensemble. Préparer les asperges en cassant les extrémités et peler soigneusement la tige. Couper les tronçons de 1 pouce. Faire cuire les asperges pendant 2 minutes dans l'eau bouillante, les retirer avec une écumoire, et placer rapidement dans l'eau froide. Ajouter les courgettes à l'eau bouillante pendant 1 minute ; récupérer, et ajouter rapidement dans l'eau froide. Ajouter les petits pois et les petits oignons dans l'eau bouillante et laisser cuire pendant 3 minutes, retirer et ajouter à l'eau froide. Cuire les pâtes fraîches dans une grande quantité d'eau en ébullition pendant 2 à 3 minutes. Égoutter les pâtes en réservant ¼ tasse d'eau de cuisson. Verser les pâtes dans la casserole, ajouter les légumes égouttés et les tomates, et bien mélanger. Ajouter la sauce au citron, réserver l'eau de cuisson et poivrer au goût. Bien mélanger. Ajouter les tranches grillées de poitrines de poulet et bien mélanger. Garnir avec le fromage Romano.

Vivaneau à la sauce mangue

(Pour 4 personnes)

- ¼ tasse d'oignons verts hachés
- 1 poivron vert, épépiné et haché
- 1 branche de céleri, pelée et hachée
- 1 piment rouge haché, la tige enlevée
- 1 c. à table de feuilles fraîches de thym
- 1 c. à table de feuilles de marjolaine
- ⅓ tasse de persil frais haché
- Le jus de 2 citrons verts
- 4 gousses d'ail pelées
- poivre noir fraîchement moulu
- Quatre filets de vivaneau de 6 onces, sans peau et nettoyés
- Vaporisateur d'huile-eau (préparé en combinant 7 mesures d'eau avec 1 mesure d'huile d'olive ou de canola)

Sauce à la mangue

- 1 mangue, pelée et coupée en dés à ½ pouce
- 1 oignon rouge, haché
- 3 tomates prune, épépinées et coupées en dés à ½ pouce
- 1 gousse d'ail écrasée
- Le jus de 2 citrons verts
- 3 c. à table de feuilles de menthe fraîche hachées grossièrement
- 1 c. à thé de sucre

Dans un mélangeur, mélanger les oignons verts, le poivron, le céleri, le piment, le thym, la marjolaine, le persil, le jus de citron vert, l'ail et le poivre noir et travailler pour obtenir une pâte et la placer dans un plat peu profond. Frotter les vivaneaux avec de la pâte sur les deux côtés. Couvrir d'un film plastique et laisser mariner à la température ambiante pendant au moins 2 heures. Placer tous les ingrédients de la sauce dans un petit bol et laisser mariner pendant 30 minutes. Préchauffer le four à 450° F. Vaporiser une plaque à pâtisserie antiadhésive avec le vaporisateur d'huile-eau, placer le vivaneau, et cuire au four pendant 8 à 10 minutes jusqu'à cuisson complète. Servir avec de la sauce par dessus et du riz brun.

Risotto à la citrouille

(Pour 4 personnes)

- 1 lb de citrouille pelée et coupée en dés de ½ pouces
- 1 oignon blanc moyen, haché finement
- 1 gousse d'ail écrasée
- Vaporisateur d'huile-eau (préparé en combinant 7 mesures d'eau avec 1 mesure d'huile d'olive ou de canola)
- poivre fraîchement moulu
- 1 tasse de riz risotto non cuit
- Zeste de ½ citron
- 3 tasses de bouillon de légumes porté à ébullition
- 1 oz de fromage parmesan, râpé finement

Préchauffer le four à 400° F. Placer la citrouille, l'oignon et l'ail dans un plat antiadhésif allant au four. Vaporiser légèrement avec le vaporisateur d'huile-eau et poivrer. Mettre au four pendant 15 à 20 minutes, jusqu'à ce que doré et caramélisé, en les retournant régulièrement. Saupoudrer le riz et le zeste de citron au-dessus de la citrouille et bien mélanger. Verser dans le bouillon de légumes bouillant et bien remuer. Couvrir le plat avec du papier d'aluminium et remettre au four pendant 25 à 30 minutes, ou jusqu'à ce que le riz soit tendre et le bouillon absorbé. Incorporer la moitié du parmesan et garnir avec le reste du fromage. Servir avec une poitrine de dinde grillée pour le repas parfait de l'automne.

Tortilla au saumon

(Pour 4 personnes)

- 1 c. à thé d'huile d'olive
- 1 petit oignon, haché finement
- 1 boîte contenant 4 ½ oz de tomates, hachées et égouttées
- 1 c. à table de tomate concentrée
- 1 boîte de filets d'anchois, égouttés et hachés finement
- Quatre tortillas de farine de blé molles de 8 pouces
- 14 oz de saumon fumé, coupé en gros morceaux
- 2 échalotes, émincées
- 2 c. à table d'aneth frais, haché, plus quelques brins pour la décoration
- 4 c. à table de fromage mozzarella à faible teneur en matières grasses, râpé grossièrement
- 2 c. à table de câpres égouttées
- poivre fraîchement moulu

Préchauffer le four à 450° F. Dans une petite poêle, faire chauffer l'huile, ajouter l'oignon et faire revenir pendant 2 minutes à feu moyen jusqu'à ce qu'il ramollisse. Ajouter les tomates, le concentré de tomates et les anchois et cuire pendant 6 à 8 minutes ou jusqu'à ce que le mélange épaississe donnant une consistance pâteuse. Étendre le mélange de tomates uniformément sur les tortillas Disperser les saumons sur le dessus, puis les oignons verts, et l'aneth ciselé. Saupoudrer de fromage, placer sur grand plat pour le four et cuire pendant 3 à 5 minutes ou jusqu'à ce que le fromage soit fondu. Saupoudrer les câpres et les brins d'aneth sur le dessus. Assaisonner au goût avec du poivre. Servir immédiatement.

Poulet au sésame

(Pour 4 personnes)

- 4 poitrines de poulet sans peau, coupées en cubes
- ½ tasse d'eau et 1 c. à table d'eau
- ⅓ tasse de jus de pomme (non concentré, sans sucre ajouté)
- 2 c. à table de sauce soja
- 4 c. à table d'oignons verts tranchés
- 1 c. à table de ketchup
- 1 c. à table de sucre brun
- 2 gousses d'ail, hachées
- 1 c. à thé de poivre au 3 couleurs, ou au goût (rouge, vert et noir)
- 1 c. à thé de fécule de maïs
- 4 c. à thé de graines de sésame grillées

Vaporiser une mijoteuse ou un faitout avec du Pam et mettre à feu moyen. Ajouter le poulet et cuire, en tournant, jusqu'à ce que le poulet soit doré de tous les côtés, environ 5 minutes. Transférer dans un petit plat et mettre de côté. Dans un bol, mélanger ½ tasse d'eau, le jus, la sauce soja, l'oignon, le ketchup, le sucre et l'ail. Assaisonner avec le poivre et bien mélanger. Verser dans le moule et faire cuire à feu moyen pendant 2 minutes, en remuant constamment pour éviter que ça accroche. Réduire le feu à feu doux.

Ajouter le poulet, couvrir et cuire jusqu'à ce qu'il soit tendre, environ 20 minutes. Transférer le poulet dans un plat, en laissant le liquide dans la casserole et le garder au chaud. Délayer la fécule de maïs dans 1 c. à table d'eau et ajouter au liquide. Cuire, en remuant fréquemment, jusqu'à ce que la sauce épaississe, environ 4 minutes. Verser la sauce sur le poulet et parsemer de graines de sésame.

Spaghetti pétoncles

(Pour 4 personnes)

- 3 c. à thé d'huile d'olive
- 2 lb de pétoncles géantes
- ½ c. à thé de sel
- ½ c. à thé de poivre noir
- 2 c. à table de beurre
- ½ tasse d'oignons verts hachés
- 1 c. à table d'ail haché en conserve
- ⅔ de tasse de vin blanc sec
- 2 c. à table de jus de citron frais
- 4 portions de pâtes cheveux d'ange fraîches cuites
- 2 c. à table de persil frais, haché finement
- 1 citron, tranché finement pour garnir

Chauffer l'huile dans une grande poêle antiadhésive à feu moyen-vif. Saupoudrer les pétoncles avec du sel et du poivre. Ajouter les pétoncles à la poêle et faire revenir pendant 2 minutes de chaque côté. Retirez les pétoncles de la poêle et les garder au chaud enveloppé dans du papier d'aluminium. Ajouter le beurre à la poêle avec les oignons verts, l'ail et faire sauter pendant 30 secondes. Ajouter le vin et le jus et faire cuire pendant 1 minute. Remettre les pétoncles dans la poêle et mélanger pour bien enrober. Eloigner de la chaleur. Déposer les pétoncles sur le dessus des pâtes, avec une cuillère de sauce restante et garnir de persil et de citron.

Flanc de bifteck mariné

(Serves 4)

- ½ tasse d'échalotes hachées
- ⅓ tasse de vinaigre de vin rouge
- 3 c. à table de vinaigre balsamique
- 2 c. à thé d'assaisonnement pour bifteck de Montréal (poivre)
- 1 ½ livres de flanc de bifteck, coupé
- ¼ c. à thé de sel

Mélanger les échalotes et le vinaigre dans un grand sac en plastique Ziploc et y ajouter 1 c. à thé d'assaisonnement au poivre et le steak. Laisser mariner au réfrigérateur pendant 8 heures ou toute la nuit, en tournant de temps en temps.

Préparer le gril du four ou préchauffer. Retirer le bifteck du sac et jeter la marinade. Saupoudrer le bifteck avec le reste de l'assaisonnement au poivre et sel. Placer le bifteck sur la grille ou une poêle enduite de Pam. Cuire pendant 6 minutes chaque côté ou jusqu'au degré de cuisson désirée. Couper le bifteck en tranches fines, en diagonale à travers le grain.

Collations, desserts et sauces

La tarte/gâteau au fromage à la fraise préférée de Julia

(1 gâteau au fromage/tarte pour 6 personnes)

Croûte

- 1 tasse de chapelure de biscuits Graham
- ¼ tasse de graines de lin moulues, ajouter à la liste d'achats
- ¼ tasse de son d'avoine
- ⅓ tasse d'eau
- 5 grammes de granules PGX^MD sans saveur (1 mesure)

Constituant

- 2 tasses de fromage cottage 1%
- 5 grammes de granules PGX^MD sans saveur (1 mesure)
- 3 onces de fromage à la crème sans matières grasses
- 3 boules de fraise ou poudre de protéines de lactosérum de vanille

Garniture

- 1 tasse de fraises fraîches tranchées
- 4 c. à table de confiture de fraises sans sucre

Instructions

1. POUR FAIRE LA PÂTE : Enduire un moule à tarte de 9 pouces avec un aérosol de cuisson.
2. Dans un grand bol, mélanger tous les ingrédients pour la pâte. Malaxer ce mélange jusqu'à ce qu'il soit homogène.
3. Appuyer sur le mélange de chapelure dans le moule à tarte, placer la pâte jusqu'aux parois du moule.
4. POUR LE CONSTITUANT : Dans un mélangeur, combiner tous les ingrédients de la garniture. Mélanger à grande vitesse jusqu'à ce que la consistance soit lisse et crémeuse.
5. Verser la garniture sur la pâte. Réfrigérer pendant 1 heure.